LE FRANÇAIS
AU CONTACT D'AUTRES LANGUES

Collection L'Essentiel français, dirigée par Catherine Fuchs

Formes et notions

La comparaison et son expression en français, par Catherine Fuchs
Les déterminants du français, par Marie-Noëlle Gary-Prieur
Le discours rapporté en français, par Laurence Rosier
Les verbes modaux en français, par Xiaoquan Chu
Les temps de l'indicatif en français, par Gérard Joan Barceló et Jacques Bres
Le nom propre en français, par Sarah Leroy
Le gérondif en français, par Odile Halmøy
La préposition en français, par Ludo Melis
Le conditionnel en français, par Pierre Haillet
La référence et les expressions référentielles, par Michel Charolles
La construction du lexique français, par Denis Apothéloz
Le subjonctif en français, par Olivier Soutet
Les noms en français, par Nelly Flaux et Danielle Van de Velde
La cause et son expression en français, par Adeline Nazarenko
L'intonation : le système du français, par Mario Rossi
Les stéréotypes en français, par Charlotte Schapira
L'adjectif en français, par Michèle Noailly
Les constructions détachées en français, par Bernard Combettes
L'espace et son expression en français, par Andrée Borillo
Les formes conjuguées du verbe français, oral et écrit, par Pierre Le Goffic
Les adverbes du français : le cas des adverbes en -ment, par Claude Guimier
Les expressions figées en français, par Gaston Gross
Les ambiguïtés du français, par Catherine Fuchs
La concession en français, par Mary-Annick Morel
La conséquence en français, par Charlotte Hybertie

Variétés du français

Les créoles à base française, par Marie-Christine Hazaël-Massieux
Approches de la langue parlée en français, nouvelle édition, par Claire Blanche-Benveniste (épuisé)
Les variétés du français parlé dans l'espace francophone. Ressources pour l'enseignement, par Sylvain Detey, Jacques Durand, Bernard Laks et Chantal Lyche (dir.)
Les expressions verbales figées de la francophonie, par Béatrice Lamiroy (dir.)
La variation sociale en français, par Françoise Gadet
Le français en diachronie, par Christiane Marchello-Nizia

Outils et ressources

Lire un texte académique en français, par Lita Lundquist
Dictionnaire des verbes du français actuel, par Ligia Stela Florea et Catherine Fuchs
Rédiger un texte académique en français, par Sylvie Garnier et Alan D. Savage
Construire des bases de données pour le français, par Benoît Habert
Dictionnaire pratique de didactique du FLE, par Jean-Pierre Robert
Les dictionnaires français, outils d'une langue et d'une culture, par Jean Pruvost
Instruments et ressources électroniques pour le français, par Benoît Habert

LE FRANÇAIS
AU CONTACT D'AUTRES LANGUES

l'essentiel français

Françoise GADET
Ralph LUDWIG

Editions Ophrys, 1 rue du Bac, 75007 Paris
www.ophrys.fr

ISBN 978-2-7080-1362-9

Table des matières

INTRODUCTION

La représentation courante que la plupart des gens ont des langues consiste à les appréhender une par une et indépendamment les unes des autres, chacune bien délimitée sur un territoire qui serait naturellement le sien, sans zones de recouvrement et sans mélange. Or, les langues en usage ne se présentent pas ainsi, toutes sont « en contact » entre elles, avant tout parce que les individus sont en contact ; et ils l'ont toujours été. Les contacts peuvent être plus ou moins intenses, plus ou moins durables, ils recouvrent des cas de figure très divers, mais les situations de plurilinguisme sont plus fréquentes à travers le monde que les cas de monolinguisme.

Tous les types de parlers se trouvent ainsi en contact avec d'autres parlers, parce que leurs locuteurs interagissent avec d'autres locuteurs qui n'ont pas la même histoire ni les mêmes attaches langagières. Reste à établir les effets sur les langues telles qu'elles se parlent de cet état permanent de contacts – et, plus rarement, telles qu'elles s'écrivent. Ce sera l'objet de cet ouvrage, à propos d'une langue dont les locuteurs à travers le monde se trouvent souvent en contact, avec des locuteurs de langues de groupes linguistiques divers, et selon des figures diversifiées : le français.

Parmi les langues intercontinentales d'origine européenne, plusieurs langues peuvent lui être comparées : l'anglais, l'espagnol ou le portugais, langues qui elles aussi ont connu une expansion mondiale par la colonisation. Ces trois langues ont un nombre de locuteurs (langue première et langue seconde) bien plus élevé. L'anglais et le portugais ont, comme le français, donné lieu à plusieurs créoles (c'est l'anglais qui en connait le plus), mais l'espagnol moins. Le français a donné lieu à un grand nombre de formes hybridifiées, aussi bien en Amérique qu'en Afrique, qui ne sont pas encore toutes bien étudiées. L'espagnol et l'anglais sont parmi les quatres langues les plus parlées au monde, alors que le français pointe vers la onzième ou douzième place. L'anglais et le français partagent une répartition assez éclatée, mais l'anglais connait des blocs beaucoup plus importants.

Le français fait ainsi partie des langues qui peuvent être regardées comme des laboratoires pour l'étude des langues et des effets de leur contact, avec une large gamme de phénomènes : cohabitation plus ou moins harmonieuse avec d'autres langues, emprunts[1] à des langues indo-européennes ou non, créolisations, émergence de codes hybrides ou de langues mixtes, plus ou moins stabilisés.

Notre objectif est de montrer les conséquences d'une propriété générale de l'exercice des langues : le contact des langues a toujours existé, pour le français comme pour les autres langues, et il n'a pas été besoin de l'actuelle globalisation pour que les locuteurs se croisent. Cependant, les processus actuels de globalisation concentrent les effets du contact, leur fréquence et leur intensité. Les occasions de contact sont plus nombreuses, dans une mobilité accrue des populations, qu'elle soit éphémère, récurrente, ou inscrite dans la durée. Cette mobilité concerne à la fois des réfugiés ou migrants pour cause de climat, de misère et de guerres, que des déplacements des élites. Les modes de communication accélérés par les outils virtuels et les facilités de circulation et d'échanges jouent aussi un rôle dans la multiplication des contacts.

La notion de « français en contact » est ainsi une constante de la francophonie, de son histoire comme de son état actuel. Mais le français a non seulement « emprunté » à d'autres langues, il a aussi « fourni » des mots, d'abord aux langues limitrophes de son territoire (voir l'origine d'une bonne part du vocabulaire anglais). L'histoire de l'Europe montre que le rapport entre le français et ces langues voisines a fluctué au cours du temps, avec une constante aux échanges, à la mesure de l'ordinaire des interactions courantes entre voisins. Certains mots ont ainsi fait un aller-retour : *humour* est venu d'Angleterre, mais il provient du français *humeur* ; *population* vient de l'anglais, qui l'avait pris à l'ancien français, qui lui-même le tenait du latin populaire.

---

1. On verra au chapitre III que les termes des sciences du langage pour étudier les contacts de langues ne sont pas toujours très adéquats. Nous les conservons toutefois, avec des mises au point. En parlant de langues, nous utilisons souvent des métaphores semblant leur prêter une vie propre, où il faut entendre que c'est avant tout d'individus en contact qu'il s'agit.

Il est habituel de caractériser l'extension du français dans le monde en distinguant entre la zone du « berceau » (l'Europe, sur un espace qui déborde en plusieurs points le territoire actuel de la France, du côté de la Belgique wallonne et de la Suisse romande – sans parler des zones rémanentes que sont les îles anglo-normandes et le Val d'Aoste), et les zones d'expansion ou d'exportation, processus par lesquels le français s'est étendu, par conquête et par colonisation : Amérique (surtout du nord), Afrique (Maghreb et Afrique noire), quelques territoires en Asie, et un certain nombre d'îles, où sont aussi souvent apparus des créoles. Ces expansions sont intervenues à des époques et selon des processus diversifiés (commerce, colonies de peuplement, colonies d'exploitation), elles ont rencontré des écologies linguistiques locales diversifiées. Ce qui n'a pas été sans effet, sur la nature du français tel qu'il est parlé dans ces différents lieux, et sur les types de contact qui interviennent dès lors.

Dans son berceau, le français se trouve en contact avec d'autres langues, selon trois modalités différentes, à quoi s'ajoutera une quatrième modalité comme conséquence ultime de la colonisation :

1) Les langues territoriales (régionales), qu'il a peu à peu largement supplantées, laissant place à quelques particularismes régionaux, essentiellement dans la prononciation et la prosodie ou dans le lexique. Pour des raisons politiques et idéologiques, l'éradication des autres langues et des dialectes a été plus intense en France qu'en Belgique et en Suisse.

2) Aux frontières du territoire, la position géographique de la zone francophone fait côtoyer à cette langue des pays de 6 langues officielles, à côté de différents dialectes : espagnol et catalan (Espagne)[2], italien (Italie), allemand (Suisse et Allemagne), flamand (Belgique), anglais pour la Grande-Bretagne bien qu'elle ne soit pas en continuité territoriale.

Les langues du territoire et les langues des confins sont majoritairement indo-européennes (hormis le basque). L'état naturel des façons de parler des locuteurs se manifeste en continuum (voir le continuum français/catalan/espagnol), à l'intérieur duquel la constitution des langues nationales à partir du 17e siècle a construit des frontières en standardisant les langues, symboliquement liées à un territoire et à un État-nation.

3) De façon relativement récente (seconde moitié du 19e siècle pour la France), les « langues de l'immigration » ont apporté une nouvelle source

2. Il faudrait ajouter le basque, sans statut officiel ni en France ni en Espagne.

de contacts. Il s'agit de langues déterritorialisées, dont les locuteurs sont répartis sur l'ensemble du territoire, essentiellement dans quelques grandes villes industrielles et à leurs entours (en particulier en région parisienne). Leur diversité d'origines est à la mesure de la diversité des langues du monde : la plupart ne sont pas indo-européennes.

4) Dans ses migrations à travers le monde, intervenues essentiellement à partir du 16e siècle, le français a provoqué un quatrième type de contact, avec des langues autochtones très diverses (aussi bien en Afrique du nord et en Afrique noire qu'en Amérique). Ce, d'abord sous la forme des grands voyages et des « grandes découvertes », qui ont amené de nombreux mots en français, ayant parfois transité par d'autres langues, comme l'espagnol d'Espagne pour l'arabe, l'espagnol ou le portugais pour des mots d'Amérique centrale et du sud, l'anglais pour l'Amérique du nord. Puis, dans la colonisation, il a été implanté, souvent sans ménagement, sur le territoire de langues autochtones, et s'est trouvé confronté à d'autres langues de colonisation (essentiellement l'anglais, en Amérique du nord ainsi qu'au Cameroun). Le contact a pu jouer dans les deux sens, enrichissement du français et emprunts par les langues locales.

Le plan de cet ouvrage comporte deux parties. Une ***première partie***, faite de 3 chapitres, concerne l'histoire des contacts du français et leur état actuel (leur « écologie » – c'est-à-dire les conditions historiques, sociales, cognitives dans lesquelles il est parlé), ainsi que les concepts pour en traiter. Le chapitre I est une entrée dans la problématique allant de la langue ordinaire à la littérature ; le chapitre II est un historique ; et le chapitre III, une réflexion sur les notions et concepts que doit mobiliser une telle réflexion, et une mise au point terminologique. La ***seconde partie***, composée elle aussi de 3 chapitres, étudie différentes situations, en croisant les aires et les types de langues. Le chapitre IV est consacré à l'Amérique du nord, où les contacts concernent désormais surtout une langue indo-européenne, l'anglais ; le chapitre V est centré sur l'Afrique, où la majorité des langues de contact ne sont pas indo-européennes (arabe au Maghreb, langues africaines en Afrique noire) ; enfin, le chapitre VI s'intéresse aux zones créolophones. La conclusion ouvre sur l'avenir vraisemblable du français au niveau global et dans différentes configurations. Outre la bibliographie générale, chaque chapitre comporte une bibliographie, nécessairement indicative[3].

Un tel plan se heurtait à quelques difficultés ou risques de redites, mais tous les plans comportaient des chausses-trapes, et nous avons finalement opté pour une répartition pour l'essentiel géographique. Nous n'avons pas recherché une exhaustivité du traitement des situations de francophonie à travers le monde, et seuls certains pays ou villes donneront lieu à des développements ou à des exemples.

Les ***exemples*** de faits de contact qui sont donnés dans le texte proviennent de différentes sources, primaires quand c'est possible, et celles-ci sont citées dans les bibliographies de chacun des chapitres : ouvrages, thèses, romans, chansons, scénarios de films… Et, le plus souvent possible, de corpus, en particulier de ceux qui ont été réunis au cours du projet CIEL_F (voir http://www.ciel-f.org/vitrine).
On doit mettre en garde contre le risque d'essentialisation de variétés que comporte l'énoncé d'exemples, nécessairement sortis de leur contexte : des exemples illustrant des faits de contact risquent d'exotiser à l'excès certains faits linguistiques ou certaines pratiques langagières[4].

3. Une astérisque suivant un nom d'auteur dans la rubrique « Repères pour les références » à la fin de chaque chapitre indique que la référence est à chercher dans la bibliographie générale.

4. Nous remercions, pour leurs relectures et leurs conseils : Annette Boudreau, Béatrice-Akissi Boutin, Florence Bruneau-Ludwig, Nacer Kaci, Sibylle Kriegel, et Ingrid Neumann-Holzschuh.

PREMIÈRE PARTIE

Chapitre I

L'HYBRIDATION DU FRANÇAIS : DE LA CULTURE POPULAIRE À LA LITTÉRATURE-MONDE

Ce chapitre vise à illustrer les effets, dans le français, du contact avec une ou plusieurs autre(s) langue(s). Il s'appuie sur deux exemples, à dessein très différents ; l'un provenant de la langue ordinaire voire populaire, l'autre de la littérature. Nous verrons plus loin (chapitre II) que l'hybridation a été bien acceptée jusqu'à la période classique, mais que le changement idéologique qui intervient au 17e siècle a eu pour effet de la cantonner à l'oralité et à la culture populaire. Ainsi, il n'y a que peu d'hybridation dans la littérature (ou bien dans une littérature jugée de second ordre). Mais on la retrouve aujourd'hui dans une littérature produite par des écrivains provenant du monde entier.

1. L'hybridation du français dans les usages ordinaires, familiers et argotiques

L'hybridation s'est donc repliée, pour la langue parlée, sur les usages ordinaires, où elle constitue une constante. La vitalité de l'argot ne s'est jamais démentie, et les emprunts lexicaux y jouent un rôle, avec des sources diversifiées. L'histoire a retenu, selon les époques et comme pour la langue courante, des emprunts à des langues régionales, à des langues étrangères proches ou plus lointaines, et aujourd'hui aux langues de l'immigration, en particulier dans les « parlers jeunes ».

1.1. Une longue histoire dans la langue ordinaire et dans l'argot

L'argot (ou langue verte) a, au long de son histoire, intégré directement ou non des mots régionaux, comme *arnaque*, *saquer* ou *bagnole*, qui proviennent du picard ; *castagne*, du gascon ; ou des mots provençaux (*arpion, baratin, cramer, esgourde, zigouiller*...).

Contrairement au portrait romantique que brosse Victor Hugo dans *Les Misérables*, l'argot n'est pas particulièrement emprunteur, bien qu'on y trouve des termes de différentes langues (jamais très lointaines, du moins jusqu'à une période récente), au gré de contacts de populations qui sont surtout passés par les guerres et la colonisation : l'allemand, d'où proviennent, directement ou non, *flic, schlinguer, frichti*... ; ou l'italien, avec *baroufe, mandale* ou *picoler*. L'espagnol a fourni *barbaque, casquer, paumer*... Quant à l'anglais, la langue à laquelle le français emprunte actuellement le plus, nous en reparlerons à propos des parlers jeunes, en tenant compte de la difficulté à faire passer une frontière entre langue familière, langue populaire, argot et parlers jeunes.

À partir de la colonisation et des 132 ans de présence française en Algérie (de 1830 à 1962), les emprunts ordinaires, populaires et argotiques du français à l'arabe ont été nombreux (voir chapitre V). Les mots arabes anciennement importés n'avaient rien d'argotique, ils concernent les sciences (comme *zéro, alchimie, algorithme*...), ou des objets ordinaires, comme *sucre* ou *jupe*. Mais les mots arabes apportés par la colonisation ont souvent transité par l'argot militaire avant d'atteindre la langue populaire : *caïd, flouze, toubib, baraque, glaouis, baraka, bezef, clebs* (qui donne lieu au dérivé hybride *clébard*), *chouf, fissa, zob, guitoune*... Beaucoup de ces mots sont identifiables comme allogènes par leur schéma phonique, et leurs graphies sont souvent instables du fait de la transmission orale.

Parmi les autres langues non indo-européennes ayant anciennement fourni à l'argot, il y a le romani et d'autres langues tsiganes (très peu de mots) : *adja* (*mettre les adjas*), *berge* (« année »), *racli* (ou *rakli*, « fille non tsigane ») ou *surin* (« couteau », aujourd'hui vieilli – voir le personnage du « chourineur » dans *Les Mystères de Paris*, roman d'Eugène Sue publié en feuilleton en 1842-43, où il faut entendre *surineur* avec l'accent auvergnat). C'est aussi du romani que proviennent les verbes en *-ave* : *marave* « battre », *bouyave* (ou *bouillave*), à la fois « tromper » et « posséder sexuellement », *bicrave* « vendre », ou *chouraver* (« voler ») qui lui se conjugue parfois, contrairement à la plupart de ces verbes.

Enfin, les emprunts de l'argot traditionnel aux langues africaines ont été rares. C'est le cas de *bougnoule*, du wolof, qui signifie « noir » et s'est spécialisé pour qualifier des individus discriminés, de nos jours surtout les Maghrébins (en tout cas pas les noirs).

L'emprunt d'éléments comme des suffixes est rare, et le cas de *-aga* est d'autant plus intéressant. On le pense venu du turc (*aga* = « chef »), ayant transité par l'argot arabo-algérien (voir chapitre V) : la dérivation *poulaga* (sur l'argotique « poulet », *police* – voir *la maison poulaga* dans les romans classiques de Série Noire) a ensuite donné lieu à des formations comme *pastaga* (« pastis »).

1.2. Des contacts en pleine dynamique : les parlers jeunes en région parisienne

Les migrations de population ont des effets linguistiques à la fois sur la société de départ et sur la société d'arrivée. L'effet dans les métropoles européennes, et en particulier en France, est la constitution de quartiers multiethniques dans les grandes villes, surtout à Paris[1]. De nombreuses langues s'y trouvent confrontées au français ultra-dominant, ce qui a eu au moins quelques effets sur la langue nationale telle qu'elle est parlée en particulier par les jeunes – et de plus en plus pas seulement par ceux de la même origine ethnique que le mot. Mais les mots évoqués dans la partie précédente s'y retrouvent aussi souvent, les parlures argotiques étant à la fois innovatrices et conservatrices, sans qu'il y ait frontière étanche avec la langue ordinaire courante.

C'est à ***l'anglais*** que les jeunes empruntent actuellement le plus, que ce soit des mots – *good, easy* (parfois écrit *izi*), *life* (*on s'en fout de ta life*), *dead* (*je suis dead* – voir « crevé » ou *c'est dead* – voir « fichu »), *fuck*, des dérivés (*liker, kicker*), ou des compositions éphémères comme *je reste street.* Ces termes se renouvellent très vite : *style, look, swag.* Ils sont très présents dans la culture « jeune » (*business*, apocopé en *biz* ou aphérésé en *sness, au black*), surtout dans la musique, le rap et le hip hop (*cool, shit, rap, best of, DJ*) ou les vêtements (*vintage, baggy, streetwear*)... L'influence de l'anglais se manifeste aussi dans des graphies anglicisées de mots qui ne sont pas anglais, comme *k'1fry* (verlanisation graphique anglicisée de *africain*).

---

1. Aire pour laquelle on s'appuie sur le corpus MPF (*Multicultural Paris French*) : http://mpfvitrine.modyco.fr.

Dans les graphies liées aux nouvelles technologies de l'écrit, il s'agit de reproduction pure et simple de l'anglais (*ASAP – as soon as possible, LOL – laughing out loud*, dans des courriels, chats ou SMS).

Exemples de SMS

good job, see you, by the way, good luck, today, good night, sorry, biz, bizoo, pleaz, cool, my love, ok lol, overbooké, kiss, hello…

[Exemples de la thèse de Louise-Amélie Cougnon]

Commentaire : ces messages attestent d'un très fort pourcentage, parmi les emprunts, de mots ou d'expression en anglais, expressions figées et mots outils, traditionnels et attendus, de même que de graphies anglicisantes (*bizoo*).
Selon Louise-Amélie Cougnon, pour l'ensemble des SMS en français du corpus SMS4Science (Belgique, Suisse, Québec et la Réunion), 90 % des emprunts sont à l'anglais, les 10 % restants se partageant entre les autres langues…

Pour le corpus de SMS en français, www.sms4science.org.

Un phénomène plus récent est la dynamique des ***emprunts à l'arabe*** dans la culture jeune populaire, sensible dans le corpus MPF et dans les dictionnaires : de plus en plus de mots aujourd'hui courants dans la culture jeune proviennent de l'arabe, et pour beaucoup ils sont désormais utilisés par des locuteurs de toutes origines, voire passent dans les dictionnaires généraux. En voici quelques exemples : *niquer* (renforcé par l'aphérèse de *forniquer*), *seum*[2], *wesh, kif* et son dérivé *kiffer, hala* (« désordre »), *dahak* (« rigoler »)… Les orthographes françaises de ces mots ne sont pas plus stabilisées que dans l'argot traditionnel, étant donné une transmission surtout orale, et le problème d'adaptation des graphies (voyelles et consonnes sans équivalent en français). Parmi de nombreux autres exemples : *zarma, zerma* ou *zaâma* (« genre », « style »), *dawa* (« désordre », « bordel », écrit *dahwaa* dans un rap de Mister You sur internet), *kho* ou *khou* (« frère »), *sbeul* (*foutre le sbeul*), avec ou sans *e* final, avec *s* ou *z* (*zbeul*)…

2. Ce mot est très fréquemment cité dans les médias. Un exemple parmi d'autres : « Du 'boloss' aux belles lettres, la langue française n'a pas le seum » (bretagne.france 3.fr, 8 mars 2013).

Entrées du* Dictionnaire de la zone *provenant de l'arabe

Lui, ce mec c'est shab Levallois « Il est de Levallois »

T'es mzi toi « T'es bizarre/t'es moche »

Commentaire : ce dictionnaire en ligne (« tout l'argot des banlieues ») est collaboratif. Il est modéré par Cobra le Cynique, qui opère une sélection parmi les termes proposés : il arrive qu'il y ait des refus, justifiés. Les gloses sont celles du dictionnaire. Au début de 2014, le dictionnaire affiche plus de 2 000 entrées.

Des termes qui avaient été empruntés à l'époque de la colonisation peuvent changer de sens, comme *chouf* (« regarder ») qui peut désormais être un nom désignant le guetteur avertissant de l'arrivée de visiteurs inopportuns dans la cité.

Assez nouveaux aussi sont les ***emprunts à d'autres langues non indo-européennes***, très présentes dans l'immigration récente. C'est le cas pour des ***langues africaines*** : *gorette* (« fille », du wolof), *go*, « fille », du bambara qui l'avait emprunté à l'anglais *girl*, et qui peut donner *og* en verlan ; *toubab* et son verlan *babtou* parfois apocopé en *bab* (« français de souche », « blanc », terme qui provient du mandingue[3]). On voit aussi des emprunts à l'argot ivoirien, le nouchi (voir chapitre V), transmis par la communauté ivoirienne de la région parisienne, comme *tchoin* (« pute »), ou *s'enjailler* (« faire la fête », en dernière instance de l'anglais *enjoy*). Les emprunts au turc demeurent rares, et ce slogan sur un T-shirt est une exception : *wesh kardesh* (*wesh*, « salut » en arabe + *kardesh*, mot turc francisé pour « frère »).

Quelques mots proviennent des ***créoles antillais***, comme *boug* (« homme », souvent suffixé en *bougser*) ou *bonda* (« fesses »). D'autres mots sont empruntés à ***des langues des Tsiganes*** (romani, souvent sous la forme du sinto), comme *narvalo*, « débile », « imbécile », *rakli* ou *racli* (« fille »), *bédo* (« joint »), *minch* (« sexe féminin », « fille »), ou *les lovés* (« argent », toujours au pluriel). Les verbes en *-ave* relèvent de deux catégories. Si certains proviennent bien de mots romani ou sinti, comme *bouyave, bicrave* (« vendre », souvent spécialisé en « vendre de la drogue », synonyme de *dealer*, qui donne

3. Le mot mandingue *toubabou* « blanc » est lui-même issu de l'arabe *toubib*, et a donné lieu en français à deux termes différents, aux sens différents, aux origines différentes, entrés en français à des époques différentes.

la dérivation *bicraveur*), *(se) nachave* (« fuir »), *piave* ou *pillave* (« boire »), d'autres sont des créations fantaisistes sur ce modèle, comme *couillave* (« couillonner »), *bédave* (« fumer », de *bédo*, « joint », qui lui provient bien du sinto), *pourave* (« pourri » et « puer »). Ils ont pour particularité, dans les deux séries, de ne pas se conjuguer, la forme demeurant en général identique pour le présent, l'infinitif et le participe passé. D'autres verbes empruntés connaissent la même particularité de ne pas se conjuguer, en particulier des verbes verlanisés, comme *kène* ou *ken*, verlan de *niquer* (de l'arabe, et qui donne aussi parfois *kéner*), ou *kesmo* (de *smoke*, « fumer »).

D'autres aires de l'Europe francophone connaissent des emprunts à d'autres langues présentes dans l'immigration locale. Ainsi, à Marseille, il y a des emprunts au comorien, dont le juron *kodo* marquant la surprise ou l'étonnement. La Belgique wallonne, où domine l'immigration marocaine, ressemble à la région parisienne pour la domination de l'arabe.

Comme pour tous les mots venus d'ailleurs, un indice d'intégration est la vitalité des dérivations : verlan, apocope, aphérèse, hybridations. Pour les verlanisations : *teush*, de « shit » ; *despee*, de « speedé », lui-même conjugué à la française. Pour les apocopes : *hach* pour *hachouma* (ou *hchouma*), « honte » en arabe. Et pour les dérivations mixtes : *debléman* (de l'arabe *bled*, verlanisé en *deblé* et suffixé à l'anglaise – synonyme de *blédard*, lui-même composite), ou *hitiste* (de *hit*, « mur » en arabe + suffixe français *-iste* = « celui qui tient les murs », le chômeur).

1.3. La reprise sociale des parlers jeunes hybridisés dans l'expression artistique

De différentes façons, des œuvres artistiques tiennent compte d'hybridations linguistiques, dans la chanson, le cinéma ou la littérature. Parmi des productions qui ont mérité des études spécifiques, nous ne ferons ici qu'illustrer ce qui vient d'être présenté.

Pour la chanson, les hybridations sont très présentes dans le rap. Nombre de rappeurs parmi les plus célèbres sont issus des banlieues, et affichent souvent leurs origines étrangères. Ce qui est parfois reflété dans les noms de chanteurs ou de groupes : après le groupe toulousain *Zebda* (dont le nom est un jeu de mot entre *beur* et le mot arabe signifiant « beurre »), on peut citer *NTM*, un groupe de hip hop et de rap emblématique des années 90 (*Nique Ta Mère, Suprême NTM* pour le nom complet), dont les deux chanteurs viennent de Seine-Saint-Denis.

La représentation d'hybridations n'est pas un phénomène nouveau. Dès 1983, le chanteur Renaud, connu pour faire un large usage d'argot et de verlan, avait ces paroles dans sa chanson *Deuxième génération : On répète le soir dans une cave / Sur des amplis un peu pourris / Sur du matos un peu chourave* – ce dernier mot provenant, on l'a vu, du romani. On peut illustrer les emprunts à l'anglais avec ce titre du rappeur Soprano : *C'est ma life*. Les emprunts à l'arabe par le titre *Chouf*, du groupe 113, ou par la chanson *C'est la hass*, des rappeurs Zifou et la Fouine : *sans meuf c'est la hass, en cours c'est la hass...*, terme qui se trouve aussi dans une chanson de Sexion d'assaut. *Hass* provient de « bruit » en arabe et signifie ici « galère ». C'est le seul mot arabe de la chanson, largement répété, qui se prononce [hɛs] et rime entre autres avec *tess* (« cité » en verlan apocopé). Enfin, le titre d'une chanson de la Fouine reprend un terme emblématique du nouchi : « On s'enjaille ».

Étant donné la notoriété des rappeurs chez les jeunes, ces termes ont vite fait de circuler (*Rohff La Fouine tout ça ouais ils nous influencent grave*, entend-on dans l'une des enquêtes du corpus MPF).

Une chanson de rap
C'est 1 pour le show les gho et les ghromas[4]*, pour les narvalos qui font les croma,*
Moi je ne fais pas zarma, je fais juste vibrer les karmas
Filles ou garçons je vous invite à bouger vos chahmas
[SNIPER, *Trait pour trait*, 2006]

Commentaire : cette chanson entrecroise différents emprunts. L'orthographe dissimule parfois les origines. Ainsi, *croma* est « maquereau » verlanisé. Ce qui est ici écrit *karma* est noté *tarma* dans d'autres versions sur internet (« derrière », « postérieur ») qui, comme *chahma* (« graisse »), provient de l'arabe.

Pour le cinéma, l'hybridité à l'œuvre dans les parlers jeunes n'a été mise en scène dans des dialogues de films que de façon assez tardive[5], avec plus

4. Ces paroles figurent sur le site *www.parolesmania.com/...sniper.../paroles_trait_pour_trait_314971.html.* Les graphies jouent un rôle important dans l'interprétation car, selon un informateur arabophone, il faudrait plutôt entendre les *khous* et les *houmas*, « les frères et les quartiers » : http://kdletras.com/sniper/trait-pour-trait-trecho-6.

5. http://www.cinetrafic.fr/liste-film/4075/1/la-banlieue-et-cites-francaises-au-cinema. L'expression « banlieue-film » est le titre d'un des articles des *Cahiers du cinéma* (n° 492, 1995).

ou moins de soucis de fidélité. On citera l'exemple d'une graphie qui se veut arabisante pour un mot qui ne vient pas de l'arabe, comme titre d'un film de 2012, *Les kaïra* : il s'agit de *caillera*, verlan de *racaille*, avec graphie fantaisiste et sans *s* de pluriel. Aux origines des protagonistes, on peut supposer qu'il s'agit de connoter « arabité » (le film est d'ailleurs une charge par concentration). C'est encore autre chose que montre un grand succès de ces dernières années, *L'esquive.*

Les emprunts à l'arabe dans* L'esquive, *film d'Abdellatif Kechiche

[2004, *L'avant-scène* 542]

Le scénario publié comporte un nombre limité d'emprunts à l'arabe, en général attendus (*kiffer, kiffant, wesh, hallal...*), et à peu près pas d'emprunts à l'anglais. Mais il en va différemment dans le film même, où les mots arabes ne sont pas rares, sur un fond de verlan, d'argot, de débit rapide et d'intonations très modulées des jeunes acteurs.

Les mots arabes sont ainsi sous-évalués dans le scénario, de deux façons. Ils peuvent être dissimulés sous des graphies francisées, comme *somme* ou *sang* pour ce qui s'écrit en général *seum*, sans gêne apparente pour l'absurdité de ce qui est ainsi écrit : *j'avais l'somme, j'avais le sang...* On trouve aussi *wellah* transcrit *ouais mais là*, et plus loin *voilà*. Mais beaucoup d'expressions en arabe sont carrément omises par le scénario publié : *mais lahchouma t'es folle devant tout le monde* se réduit à *mais t'es folle* ; la réplique *tu zaâf et tu zaâf tout le monde là* (« énerver ») n'est pas transcrite du tout.

Le principal personnage féminin, Lydia, qui n'est pas d'origine maghrébine, utilise pratiquement autant de mots arabes que les protagonistes maghrébins, ce qui est aussi dissimulé dans le scénario publié.

L'hybridation est aussi présente en littérature, par exemple dans des écrits de jeunes auteurs français issus des banlieues, comme Faïza Guène (dont le premier titre, *Kiffe kiffe demain* exploite un jeu de mot entre *kif-kif* et *kiffer*), ou Rachid Djaïdani. Cette littérature est parfois non sans condescendance dite « urbaine » ou « de banlieue » – comme on parle du « banlieue-film ». Or, au-delà des origines des auteurs, rien ne justifie de faire de ces romans un genre à part. Ils ne s'avèrent pas particulièrement plus accueillants à l'hybridation que n'importe quel texte cherchant un effet d'oralité. La majorité des nombreux emprunts dans *Viscéral* de Djaïdani sont à l'anglais (*sister* ou *sista, son crew, il shake, smile, il regarde le time défiler, ne pas être too love d'elle...*).

2. L'hybridation dans la littérature-monde

La « littérature de banlieue » exploite l'image de la périphérie en la revendiquant, comme le font aussi des écrivains venus d'ailleurs. C'est surtout au-delà des frontières de l'Europe qu'a surgi une littérature qui se réclame de la polyphonie des langues, de la tension linguistique et de la multiculturalité.

2.1. Le Tout-Monde en littérature

La littérature classique française a surtout été une littérature à la recherche d'un français pur (sauf dans des littératures dites régionales ou régionalistes – ce qui implique immanquablement l'idée de genre mineur). Aujourd'hui cependant, puisant dans le plurilinguisme de leurs sociétés, nombre d'auteurs francophones à travers le monde sont en quête d'un autre mode d'expression littéraire. La langue française devient la voix de cultures autres que françaises, et le romancier francophone écrit « dans le bruissement autour de lui de toutes les langues du monde » (Michel le Bris). La littérature française et francophone en général retrouve ainsi la polyphonie qu'elle avait depuis longtemps perdue.

Mais cette ouverture n'est pas toujours harmonieuse. Ainsi, certains auteurs provenant d'anciennes colonies françaises affirment constituer leur éventail linguistique par un « acte de vol » : ils se sont approprié le français, langue de l'ancien colonisateur, et ils l'utilisent comme expression d'une identité autre que française. Cette appropriation du français peut aller, chez certains d'entre eux, jusqu'à des tensions, voire des contradictions.

L'auteur algérien Nabile Farès décrit en 1985 son projet de disloquer le monoculturalisme par l'intégration du contact

« [...] l'espace de la francophonie n'est viable qu'à condition de ne pas être pris dans le piège et réseau de la naissance impériale, mais qu'il demeure celui d'une communauté de sujets aux histoires différentes, aux langues, aux naissances, différentes. [...] Désormais la francophonie, en dépit d'attitudes encore 'racistement' présentes, est cet espace des œuvres et analyses où entrent en communication les différents domaines de la pluralité culturelle et humaine » (p. 24).

Si la langue française doit s'ouvrir à toutes les cultures, s'agit-il seulement d'un projet de thème et de contenu littéraires, ou bien l'entreprise s'étend-elle jusqu'à une variation et transformation de la langue même ? Des esprits conservateurs ont recours au vieux concept d'un seul et même français universel ouvert à tous (voir chapitre II). Et c'est en ce sens qu'on a pu parler d'un français « terre d'accueil », avec la métaphore de la langue comme territoire que l'on habite.

Mais d'autres auteurs adoptent la seconde voie : si les cultures sont différentes, la langue doit l'être aussi. Le contact linguistique et l'hybridation à l'intérieur du texte en français libèrent l'auteur « voleur de langue ». L'écrivain marocain Tahar Ben Jelloun opte dès 1985 pour cette polyphonie culturelle et linguistique, avec le titre programmatique « Écrire dans toutes les langues françaises ». L'auteur antillais Édouard Glissant se prévaut du plurilinguisme et de l'hybridation dans le concept de *Tout-monde*, et on retrouve ce même questionnement dans un manifeste de 2007, *Pour une littérature-monde*, édité par Michel le Bris et Jean Rouault.

Des auteurs se réclament du polycentrisme et du contact culturels, mais aussi linguistiques

Ainsi de Abdourahman Waberi, né à Djibouti.

« Si, pour le dire avec Michelet, chaque époque rêve la suivante, il s'agit à présent de dénouer le nœud gordien qui englobe tout à la fois la langue, la 'race' et la nation françaises. [...] En un mot, il s'agit de 'dénationaliser la langue française' (expression de l'historien et politologue camerounais Achille Mbembe), qui n'est plus depuis belle lurette la langue des seuls Français. Il s'agit de mettre en évidence que la littérature de France n'est qu'un îlot qui bruit, psalmodie et crée en français au milieu d'un archipel de la langue française. » [*in* Le Bris & Rouault 2007, p. 72]

Il faut donc transformer le français littéraire traditionnel et mettre à profit la polyphonie linguistique :

« Nous faisons le pari de tordre la langue pour la désentraver de toutes les pesanteurs et la lancer, tel un grappin, à l'assaut de toutes les mers du monde. [...] Nous faisons le pari d'en finir avec ce que Michel Foucault appelait déjà le 'narcissisme monoglotte des Français' (*La Quinzaine*, 15 mai 1966). » [*in* Le Bris & Rouault 2007, pp. 73-74]

Cette littérature cherche à s'adresser à des lecteurs d'un nouveau type, en particulier à des ex-colonisés, qui se sont accaparés la langue de l'ex-colonisateur, en sus de leur langue première.

L'Ivoirien Ahmadou Kourouma cherche avant tout à s'adresser à des Africains

« Ce livre s'adresse à l'Africain. Je l'ai pensé en malinké et écrit en français en prenant une liberté que j'estime naturelle avec la langue classique... Qu'avais-je donc fait ? Simplement donné libre cours à mon tempérament en distordant une langue classique trop rigide pour que ma pensée s'y meuve. J'ai donc traduit le malinké en français, en cassant le français pour trouver et restituer le rythme africain. » [interview, cité dans Nadjo 1985, p. 105]

Kourouma illustre sa manière de « traduire le malinké en français », de le « casser », dès le début de son premier roman, qui l'a fait connaître mondialement, *Le soleil des indépendances* (1968) : « Il y avait une semaine qu'avait fini dans la capitale Koné Ibrahima, de race malinké, ou disons-le en malinké : il n'avait pas soutenu un petit rhume » (p. 9).

Les situations de contact linguistique des pays de certains auteurs dits « francophones »[6] apparaissent donc comme source de langage littéraire hybride et affirmation d'identités multiples, permettant ou même exigeant de « tordre » le français traditionnel (Waberi), ou bien de le « casser » (Kourouma). Mais une œuvre littéraire peut-elle être le miroir d'un plurilinguisme social ou d'une langue populaire hybride ?

2.2. Un exemple d'analyse textuelle : l'écriture romanesque de Raphaël Confiant

Est-il possible d'imbriquer étroitement deux langues dans un texte littéraire, de produire une littérature francophone hybride, au sens linguistique du terme ? Nous nous appuierons ici sur un exemple venu des Antilles.

6. Il n'y a que dans la francophonie qu'il est courant de distinguer entre littérature francophone et française. Rien de tel pour l'anglais, comme le soulignent nombre des auteurs concernés.

Le Martiniquais Raphaël Confiant décrit son attitude à l'égard du français et formule un projet d'écriture littéraire hybride proche de celui de Kourouma

« Nous n'avons plus peur [...] d'habiter la langue française de manière créole ; non pas de la décorer avec des petits mots créoles pour créer une espèce de français folklorique et régionaliste, il ne s'agit pas du tout de cela. Il s'agit de récupérer toute la rhétorique de la langue créole et d'essayer de la greffer à travers un matériau linguistique français. » [Confiant, *in* Chamoiseau & Confiant 1992, p. 14]

L'œuvre romanesque de Confiant et spécifiquement son roman *L'archet du colonel* (1998) nous serviront d'exemple.

***Le début de* L'archet du colonel**

Il y avait beau temps qu'Amédée Mauville n'accourait plus à sa fenêtre, le cœur en chamade, le plat des mains enfiévré par une soudaine et délicieuse rousinée de sueur, chaque fois qu'irruptionnait le chant des vidangeuses. Celles-ci devenaient les maîtresses des rues du beau mitan de Fort-de-France dans ce bref empan de songe qui séparait la chute du jour de la nuit close. « Une miette de temps, oui... », pestait Da Ernestine qui, armée d'un balai en feuilles de coco, sarabandait d'une pièce à l'autre, du rez-de-chaussée au second et dernier étage d'où l'on apercevait à ce moment-là, par une lucarne, une mer étrangement immobile. C'est qu'il fallait faire la chasse aux mauvais esprits, aux zombies, à toute une tralée d'incubes surtout qui, à l'entendre, mouvementaient ses nuits depuis que son homme n'était point revenu de la Grande Guerre. Là-bas, dans les Dardanelles – un pays de froid et de neige éternelle, à ce qu'il paraît –, s'était produit un vaste tuage d'hommes de toutes nations et maints Nègres d'ici-là, comme l'Hector de Da Ernestine, un beau Nègre dont la membrature faisait les femmes-matadors crier-à-moué d'admiration, y avait perdu, ô cruelle soudaineté !, la vie. De lui, elle ne conservait qu'une lettre du Gouvernement qui témoignait de sa bravoure et remerciait sa fiancée pour le sang que le « fier caporal avait admirablement versé pour la Patrie ».

Le roman commence par introduire la figure du notable martiniquais Amédée Mauville, avocat à Fort-de-France, amoureux d'une « vidangeuse » (de pots de chambres), qui avait pour habitude d'attendre son passage à sa fenêtre. La suite du paragraphe est relatée dans la perspective d'une vieille domestique chargée de balayer la maison. Dès la première phrase, un lecteur averti sent le créole sous-jacent : dans *il y avait beau temps*, un francophone perçoit la collision entre *il y a bien longtemps* et *il y a belle lurette* ; un créolophone reconnaît de surcroît *té ni bon enpé tan*, littéralement « il y avait un bon peu de temps ».

Dans la même phrase, « une soudaine et délicieuse *rousinée de sueur* » détourne l'expression *rousinée de pluie, on rouziné lapli* en créole. Avec l'expression *rousinée*, l'auteur suppose que le lecteur francophone reconnaîtra un diminutif de *la rosée* du matin, et entendra « une petite rosée ». Le verbe *irruptionner* n'existe ni en créole, ni en français. Mais Confiant exploite une caractéristique du créole (que l'on rencontre aussi dans les français d'Afrique) : la facilité à transférer un mot d'une catégorie (par exemple nominale, *irruption*) à une autre (ici, verbale, *irruptionner*). Le procédé est identique avec *soudaineté* et *mouvementaient*.

Dans la deuxième phrase, trois expressions rappellent le créole. Avec *maîtresses des rues*, l'auteur fait le parallèle entre ces femmes qui règnent sur les rues de Fort-de-France et les *mèt-pyès* ou *mèt-savann* qui étaient les « majors » des lieux. Quant à l'expression *la chute du jour*, elle est parfaitement compréhensible à partir du français (et s'utilise aussi régionalement en France), par analogie à *la tombée de la nuit*, tout en transposant la tournure créole *laba di jou*, vraisemblablement dérivée du verbe français *abattre*, et reflétant le manque de transition entre le jour et la nuit aux Antilles.

Autre élément : le créole, langue d'oralité, utilise beaucoup de renvois déictiques et dispose dans ce domaine de paradigmes morphologiques plus larges que le français. Lorsque Confiant écrit *Là-bas, dans les Dardanelles...*, l'adverbe *là-bas* est français, mais il reflète une caractéristique structurelle créole, celle d'exprimer fréquemment des renvois démonstratifs – voir dans la même phrase *ici-là*, qui reprend directement le créole *isi-ya*. Le même *ici-là* se retrouve dans d'autres variétés orales du français, notamment au Canada. À la fin du passage, l'auteur cite une lettre administrative (fictive), contrastant le style martiniquais oral influencé par le créole et le français scriptural.

Deux remarques enfin. Le créole martiniquais sous-tend cette écriture littéraire : l'auteur écrit un français hybride qui renvoie à la situation linguistique et socio-historique de la Martinique. Mais ce français hybride ne reflète pas, ou pas directement, le français martiniquais ordinaire. Il s'agit d'un produit littéraire façonné dans un but esthétique et philosophique. Il combine des éléments repris directement du français oral martiniquais, lui-même marqué par le contact linguistique, avec des transformations et des créations singulières inspirées des potentialités du créole, pour aboutir à un produit littéraire spécifique.

De tels constats peuvent s'étendre, *mutatis mutandis*, à d'autres mises en œuvre littéraires du contact linguistique dans la littérature francophone. Et il serait inutile d'y chercher le miroir fidèle d'un français hybride régional. On en verra d'autres exemples tout au long de l'ouvrage.

REPÈRES POUR LES RÉFÉRENCES

Pour l'argot héréditaire, Colin & Mével 1994, Calvet 1994. Pour les parlers jeunes actuels, en plus des dictionnaires plus ou moins commerciaux comme Pierre-Adolphe *et al.* 1995 ou Montgaillard 2013, voir *Le dictionnaire de la zone*, Goudaillier 2001, Sourdot 2007. Pour le corpus MPF, Gadet & Guerin 2012. Pour le corpus SMS4Science et les nouvelles modalités d'écriture, Fairon *et al.* 2006. Pour les emprunts dans le rap, Trimaille 1999, Devilla 2011.

Pour la littérature-monde, Le Bris & Rouault 2007*. Pour le concept de « Tout-Monde », Glissant 1997. Pour la notion de « voleur de langue », Joubert 2006. Pour un commentaire de l'écriture de Patrick Chamoiseau et de Raphaël Confiant, Ludwig & Poullet 2002.

BIBLIOGRAPHIE FONDAMENTALE

CALVET L.-J. (1994) - *L'argot*, Paris, PUF, Que sais-je ?

COLIN J.-P. & MEVEL J.-P. (1994) - *Dictionnaire de l'argot,* Paris, Larousse.

Dictionnaire de la zone. www.dictionnairedelazone.fr

GOUDAILLIER J.-P. (2001) - *Comment tu tchatches. Dictionnaire du français contemporain des cités,* 3e édition, Paris, Maisonneuve & Larose.

JOUBERT J.-L. (2006) - *Les voleurs de langue. Traversée de la francophonie littéraire,* Paris, Philippe Rey.

SOURCES LINGUISTIQUES ET LITTÉRAIRES

BEN JELLOUN T. (1985) - « Écrire dans toutes les langues françaises », *La Quinzaine littéraire*, n° 436, pp. 23-24.

CHAMOISEAU P. & CONFIANT R. (1992) - « En guise d'introduction : Points de vue sur l'évolution de la littérature antillaise – Entretien avec les écrivains martiniquais Patrick Chamoiseau et Raphaël Confiant (mené par Ottmar Ette et Ralph Ludwig) », *Lendemains*, n° 67, pp. 6-16.

CONFIANT R. (1998) - *L'archet du colonel*, Paris, Mercure de France.

COUGNON L.-A. (2012) - *L'écrit SMS. Variation lexicale et syntaxique en francophonie, thèse de doctorat*, Université de Louvain-la-Neuve.

DJAÏDANI R. (2007) - *Viscéral*, Paris, Seuil.

FAIRON C., KLEIN J.-R. & PAUMIER S. (2006) - *Le Corpus SMS pour la science. Base de données de 30 000 SMS et logiciels de consultation* (CD-Rom), Louvain-la-Neuve, Presses universitaires.

FARÈS N. (1985) - « En d'autres lieux », *La quinzaine littéraire*, n° 436, 16-31 mars.

GUÈNE F. (2004) - *Kiffe kiffe demain*, Paris, Hachette.

GLISSANT É. (1997) - *Traité du Tout-Monde. Poétique IV*, Paris, Gallimard.

KOUROUMA A. (1968) - *Le soleil des indépendances*, Presses de l'Université de Montréal (1970, Paris, Le Seuil).

MONTGAILLARD V. (2013) - *Le petit livre de la tchatche*, Paris, First Editions.

NADJO L. (1985) - « Langue française et identité culturelle en Afrique noire francophone. Le cas de quelques écrivains », *Éthiopiques*, nouvelle série, n° 3, pp. 94-105.

PIERRE-ADOLPHE P., MAMOUD M. & TZANOS G.O. (1995) - *Le dico de la banlieue. 1 000 définitions pour tchatcher mortel*, Boulogne, La Sirène.

WABERI A. (2007) - « Écrivains en position d'entraver », *Pour une littérature-monde* (M. Le Bris & J. Rouaud, eds), pp. 67-75.

SI L'ON VEUT ALLER PLUS LOIN

DEVILLA L. (2011) - « 'C'est pas ma France à moi…' : identités plurielles dans le rap français », *Synergies Italie* n° 7, pp. 75-84.

GADET F. & GUERIN E. (2012) - « Des données pour étudier la variation. Petits gestes méthodologiques, gros effets », *Cahiers de linguistique*, n° 38:1, pp. 41-65.

LUDWIG R. & POULLET H. (2002) - « Langues en contact et hétéroglossie littéraire : L'écriture de la créolité », *Écrire en langues étrangères. Interférences de langues et de cultures dans le monde francophone* (R. Dion, H.-J. Lüsebrink & J. Riez, eds), Québec, Éditions Nota Bene, pp. 155-183.

SOURDOT M. (2007) - « Les emprunts à l'arabe dans la langue des jeunes des cités : dynamique d'un métissage linguistique », *Emprunts linguistiques, empreintes culturelles* (F. Baider, ed), Paris, L'Harmattan, pp. 17-30.

TRIMAILLE C. (1999) - « Le rap français ou la différence mise en langues », *Lidil*, n° 19, *Les parlers urbains*, pp. 79-98.

Chapitre II

LE FRANÇAIS DANS SON BERCEAU : UNE LONGUE HISTOIRE DE CONTACTS ET DE MIGRATIONS

On a vu que l'hybridation était une caractéristique du français actuel. Mais elle ne constitue pas une rupture historique. En effet, différents contacts ont été déterminants dans les siècles de son émergence, et ce jusqu'à la fin de la Renaissance. Par la suite, avec l'objectif d'assurer une place symbolique centrale au français standardisé, une fermeture relative se produit en France sur le territoire hexagonal. Cette phase de réticence aux influences linguistiques externes se prolonge jusque dans la deuxième moitié du 20e siècle, et il n'est pas certain que l'idéologie linguistique ordinaire en soit réellement sortie.

1. Des origines à la Renaissance (ouverture)

« Nos ancêtres les Gaulois » : cette expression destinée aux enfants des écoles (qui a été largement diffusée jusque dans les colonies) n'est pas qu'une caricature. La plus grande partie du territoire devenu aujourd'hui l'État français, était habitée par des Celtes. Lorsque le colonisateur Jules César arrive avec ses soldats romains, il se trouve face à différentes populations. Il en témoigne dans son célèbre *De bello gallico*, où il raconte ses conquêtes de 58-51 av. J.-C.

Les Romains ont conquis la Gaule et imposé leur langue. Il est probable qu'un bilinguisme croissant a caractérisé la vie sociale et la communication ordinaire de la *Gallia transalpina*, avec une assimilation culturelle des Celtes et une fusion ethnique entre les deux groupes sociaux, produisant ce qu'on appellera plus tard un « métissage ». Les habitants de la Gaule sont donc, à ce point, les héritiers d'au moins deux ethnies, avec une prédominance linguistique et culturelle romaine. Les variétés du celte jouissaient d'une valeur communicative inférieure : elles constituaient la variété basse dans ce contexte diglossique, tandis que le latin était la variété haute (voir chapitre III pour la définition de la diglossie).

Le celte n'a laissé que quelques traces lexicales dans le latin dominant. Le latin populaire de la Gaule emprunte par exemple les mots *carrus* (« char », « car ») et *bracae* (le pantalon du gaulois), et beaucoup de toponymes sont d'origine celte (*Virodunum* > *Verdun, Lug(u)dunum* > *Lyon*). On s'est même demandé si certaines évolutions phonétiques de la variété du latin vulgaire qui est à la base du français ne seraient pas d'origine celtique. C'est pourquoi le celte (en l'occurrence, le gaulois) représente un cas typique de ce qu'on désigne traditionnellement par ***substrat*** : une langue qui a disparu sous la pression sociale d'une langue dominante importée, tout en laissant des traces dans la nouvelle langue dominante.

Il y a lieu de se demander quelle est l'ampleur de l'apport celtique au latin populaire de la Gaule. Son influence suffit-elle pour expliquer la « bifurcation » de cette variété orale du latin vers ce qui deviendra une nouvelle langue, le français ? C'est en tout cas le français qui, parmi les langues romanes, s'est le plus écarté de la source latine, et on peut s'interroger sur le poids respectif de différents facteurs en cause dans l'évolution de ces langues.

Le latin populaire de la *Gallia transalpina,* base historique du français, est loin d'être « pur » et présente d'autres traces de contacts, toutefois moins nombreuses que l'apport celte. Le latin a ainsi incorporé des mots grecs, langue que les Romains considéraient comme porteuse d'une culture équivalente à la leur, voire supérieure. On peut prendre l'exemple du mot latin *parábole*, qui est d'origine grecque. Transféré au latin, il conserve d'abord le sens de « similitude », mais un glissement sémantique se produit peu à peu : *parabola* finit par signifier « mot » et devient *parole* en français moderne. Ainsi, un mot courant désignant une activité sociale ordinaire n'est d'origine ni latine ni celte. Et *parabolare* deviendra *parler*.

À la fin de l'empire romain apparait une nouvelle source de contacts culturels et linguistiques : la langue romane parlée en Gaule est exposée aux effets linguistiques des invasions germaniques.

Une synthèse de différents mouvements migratoires successifs

« [...] l'invasion des Huns força des peuples entiers à abandonner leur pays. [...] Pour la Gaule la fin de l'Empire était déjà consommée avant l'année 476 [l'année de la destitution du dernier empereur romain]. Outre les Visigoths et les Burgondes, un troisième peuple envahit la Gaule, ce sont les Saxons. [...] Les derniers venus sont les Francs. [...] Des trois peuples germaniques qui s'étaient partagé la Gaule [les Saxons ayant continué leur migration vers la Grande-Bretagne], les Francs étaient les plus forts. Clovis battit les Visigoths en 507, et le royaume des Burgondes fut réuni à celui des Francs en 534. » [Wartburg (1946) 1971, pp. 55 s.]

La langue burgonde a laissé quelques traces sporadiques régionales. Mais c'est surtout l'influence de la langue franque qui sera déterminante pour l'évolution du français. L'apport franc le plus important aurait, selon cette théorie, été d'ordre phonique. Les Francs, apprenant le latin vulgaire du nord de la Gaule, auraient accentué les voyelles toniques en syllabe ouverte plus que ne le faisaient les autochtones, tout en les allongeant. C'est ce qui aurait donné naissance à deux langues : d'une part la langue romane du nord de la Gaule, la langue du nouveau pays des Francs qui devient le français (la *langue d'oïl*) ; d'autre part l'occitan, parlé au sud (la *langue d'oc*), qui n'a pas subi l'influence germanique (franque). Cette influence ***superstratique*** implique le transfert d'éléments de la langue des conquérants à la langue du peuple dominé. Dans ce cas, ce sont les conquérants qui adoptent la langue des dominés, en abandonnant leur langue initiale, tout en en léguant des traces à cette langue adoptée (le roman populaire).

En effet, les voyelles toniques en syllabe ouverte ont en français plus évolué que dans les autres langues romanes, notamment en occitan, comme le montre l'exemple : latin *tela* – langue d'oc *tela* – langue d'oïl *teile* (*toile* en français moderne). Mais le superstrat franc ne se limite pas à des faits phoniques. La langue franque a aussi laissé des termes dans des domaines sociaux centraux, et pas seulement, comme il est bien connu, dans le vocabulaire de la guerre et dans l'ensemble « faune – flore – nutrition »[1] :

- administration féodale : *maréchal, sénéchal, baron*
- habillement : *froc, poche, gant*
- traits de caractère, sentiments, esthétique : *orgueil, honte, laid.*

1. Les exemples sont cités dans leur forme française actuelle.

À travers le vocabulaire, l'influence franque réintroduit le « h aspiré ». Il est devenu muet en français moderne, mais il a perduré de façon conservatrice dans quelques variétés à travers le monde, comme dans certaines régions de Belgique ou en Acadie. C'est sa trace qui provoque la différence de prononciation entre *la honte* ou *le haricot* (élision exclue), mais *l'huile,* trace visible aussi dans la liaison (en principe prohibée dans *les z haricots*).

La langue romane qui se développe dans les zones conquises par les Francs, devenues royaume mérovingien puis carolingien, s'écarte de plus en plus du latin classique. C'est à l'époque de Charlemagne que les locuteurs prennent conscience de la distance. Ce dernier (couronné empereur en 800) et son entourage savant font le constat d'une déformation systématique de la langue romane parlée par rapport à sa langue source, et ils décident de réintroduire le latin classique du temps de Cicéron. Le résultat de cette réforme, dite « renaissance carolingienne », est net : le latin classique n'est plus compris par les locuteurs romanophones, et il faudra admettre la nouvelle langue, dite « langue vulgaire », dans certaines sphères officielles.

Le nouveau règlement liturgique fixé par le concile de Tours en 813 est l'aboutissement de ce constat

« il fut décidé 'que chaque évêque, dans ses sermons, donnerait des exhortations nécessaires à l'édification du peuple, et qu'il s'appliquerait à traduire ces sermons en langue romane rustique, ou en allemand, afin que les fidèles puissent plus aisément en comprendre le contenu'. » [Cerquiglini 1991, pp. 41 s.]

C'est ainsi que s'ouvre une période de contact et de concurrence, entre le gallo-roman (de fait, l'ancien français) et le latin en tant que langue de l'écrit.

Cette relation de contact se manifeste dans le texte regardé comme la première attestation cohérente écrite de l'ancien français, les *Serments de Strasbourg*. En 842, deux petits-fils de Charlemagne, Louis le Germanique et Charles le Chauve, prêtent avec leurs armées un serment de solidarité mutuelle dans le conflit qui les oppose à leur frère Lothaire. Ce texte (dans sa version romane, les soldats de Louis jurant en ancien allemand) comporte encore quelques traits latins, mais il témoigne dans l'ensemble de l'émergence d'une grammaire nouvelle.

Le contact avec le latin restera déterminant pour le français jusqu'à la fin de la Renaissance. Le français est de plus en plus utilisé dans l'écrit, et doit se doter de moyens pour exprimer des contenus complexes, scientifiques, religieux, juridiques, littéraires… Il apparaît tentant d'élargir le lexique en reproduisant des éléments du latin, cette langue qu'il est question de remplacer.

Ronsard est sensible à cette insuffisante élaboration

« Il est fort difficile d'escrire bien en nostre langue, si elle n'est enrichie autrement qu'elle n'est pour le present de mots & de diverses manieres de parler. » [*Préface sur La Franciade*]

Commentaire : la défense de la langue exige donc son enrichissement.

Cependant, un glissement fonctionnel se produit peu à peu : l'emprunt devient aussi une marque de distinction, affichant le prestige du latin dans un discours en français.

Rabelais caricature un « escumeur de latin », lorsque Pantagruel rencontre un étudiant parisien

« Quelque jour, je ne sçay quand, Pantagruel se pourmenoit après soupper avecques ses compaignons par la porte dont l'on va à Paris. Là rencontra un escholier tout jolliet qui venoit par icelluy chemin, et, apres qu'ilz se furent saluez, luy demanda :

- Mon amy dont viens-tu à ceste heure ?

L'escholier luy respondit :

- De l'alme, inclyte et célèbre académie que l'on vocite Lutèce.

- Qu'est-ce à dire ? dist Pantagruel à un de ses gens.

- C'est (respondit-il) de Paris.

Tu viens doncques de Paris ? (dist il). Et à quoy passez-vous le temps, vous aultres messieurs estudiens, audict Paris ?

Respondit l'escolier :

- Nous transfretons la Sequane au dilucule et crépuscule ; nous déambulons par les compites et quadrivies de l'urbe ; nous despumons la verbocination latiale et, comme verisimiles amorabonds, captons la bénévolence de l'omnijuge, omniforme et omnigène sexe feminin. »

Pantagruel finit par comprendre que cet étudiant est en fait limousin et le menace ; pris de peur, le Limousin retombe dans son dialecte natal :

>>

>>
« Lors le print à la gorge, luy disant :
- Tu escorche le latin ; par sainct-Jean, je te feray escorcher le renard, car je te escorcheray tout vif.
Lors commença le pauvre Lymosin à dire :
- Vée dicou, gentilastre ! Ho ! sainct Marsault adjouda my ! »

[*Pantagruel* (1532), chap. 6, *Œuvres complètes*, Paris, Seuil, pp. 235-237]

Ce type de caricature littéraire devient un mode de réaction, plus ou moins puriste, contre les influences externes, devant une mode jugée excessive. Néanmoins, à ce moment, des latinismes intègrent définitivement le fond lexical français, comme *recouvrer* ou *structure.*

Avec les guerres d'Italie et l'arrivée de Catherine de Médicis à la Cour de France, une autre culture linguistique entre en contact avec le français : l'italien. Les auteurs et savants du 16e siècle admirent trois grands auteurs toscans, Boccace, Dante, Pétrarque. Le français s'approprie de nombreux mots, de plusieurs domaines : l'architecture (*balcon, façade, corniche, arcade...*), les arts (*violon, dessin, virtuose...*), la vie sociale (*brave, jovial, bagatelle...*)...

Robert Étienne persifle sur cette mode linguistique, avec ses* Deux dialogues du nouveau langage françois italianizé et autrement desguizé, *qui se déroulent entre des courtisans (1578)

« MESSIEURS, il n'y a pas long temps qu'ayant quelque martel in teste (ce qui m'advient souvent pendant que ie fay ma stanse en la cour) & à cause de ce estant sorti apres le past pour aller un peu spaceger, ie trouvai par la strade un mien ami, nommé Celtophile. Or voyant qu'il se monstret estre tout sbigotit de mon langage (qui est toutesfois le langage courtisanesque, dont usent aujourdhuy les gentils-hommes Francés qui ont quelque garbe, & aussi desirent ne parler point sgarbatement) ie me mis à ragionner avec luy touchant iceluy, en le soustenant le mieux qu'il m'estet possible. »

Outre le latin et l'italien, deux autres figures de contact caractérisent la période allant des *Serments* à la fin du 16e siècle.

Les premiers chefs-d'œuvre de la littérature française portent tous une marque régionale. La *Chanson de Roland* est écrite en anglo-normand, les romans de Chrétien de Troyes le sont en dialecte champenois. Petit à petit, dans l'écrit, ces dialectes se nivellent au profit d'une norme intermédiaire de la région parisienne ; une étape de ce processus consiste en l'émergence des ***scriptae***, traditions scripturales plus ou moins standardisées pratiquées dans des aires communicatives larges, dépassant les frontières régionales.

À côté de ce contact interne, se fait jour un contact avec une langue d'un type très différent (sémitique), l'arabe. À partir de 711, les Arabes conquièrent la péninsule ibérique, où ils resteront jusqu'à la fin du 15e siècle, après l'échec de leurs tentatives de pénétration au-delà des Pyrénées. Ils impressionnent l'Occident par leur culture hautement élaborée. Et comme les autres langues européennes, le français va s'enrichir, selon des processus qui diffèrent des effets de contact décrits jusque là : le transfert est généralement indirect. Dans la plupart des cas, des termes arabes sont empruntés par l'espagnol, d'où ils passent en français. Les domaines culturels concernés sont très divers, l'astronomie : *zénith, almanach, azimut* ; la chimie : *alchimie, élixir, alcool* ; les activités maritimes : *arsenal, douane, magasin* ; les mathématiques : *chiffre, zéro* ; mais aussi la vie quotidienne : *matelas, sucre, tasse, sirop...*

Enfin, le 16e siècle voit s'initier un processus de législation sur la langue, qui a été à l'œuvre de façon continue depuis. L'Ordonnance de Villers-Cotterêts, en 1539, est considérée comme l'acte fondateur de l'exclusivité du français dans les documents concernant la vie publique du royaume de France. Elle est dirigée contre l'usage du latin dans les actes officiels ; mais aussi, afin de mieux contrôler les régions méridionales, contre celui de l'occitan.

Cette partie n'a pas cherché à donner une liste exhaustive des contacts historiques du français, mais s'est limitée aux contacts dominants, sans évoquer les traces d'occitan, d'alsacien ou d'autres langues. Mais il est indéniable que la naissance du français et son évolution jusqu'à la fin de la Renaissance reposent sur un tissu de contacts déterminés par des facteurs comme la colonisation romaine et les nombreuses migrations, les transformations des cadres sociaux, le clivage entre l'oral et l'écrit, ou les évolutions des compétences linguistiques.

2. Le français comme langue nationale (clôture)

Jusqu'à la Renaissance, la communication reste donc ouverte à des éléments venus d'ailleurs. Un certain concept d'oralité courtoise reste dominant, transgressant les frontières nationales. L'accent est mis sur un savoir communicatif pragmatique, sur le respect de règles comportementales dans la conversation : l'homme cultivé vivant à la cour royale doit savoir faire la conversation, maîtriser des sujets variés, parler agréablement, en évitant de s'exprimer de manière lourde ou trop longue. Le choix de la langue n'a pas forcément de valeur significative ou identitaire, même si dès cette époque le lien entre choix de langue et pouvoir national commence à être sensible. Au début du 17e siècle, le français semble affranchi de son rapport au latin, bien que l'écho s'y entende encore.

***En 1637, Descartes explique pourquoi il écrit en français, dans le* Discours de la méthode**

« Et si i'escris en François, qui est la langue de mon païs, plutost qu'en Latin, qui est celle de mes Precepteurs, c'est a cause que i'espere que ceux qui ne se servent que de leur raison naturelle toute pure, iugeront mieux de mes opinions, que ceux qui ne croyent qu'aux livres anciens. »

Commentaire : le français a donc à cette étape acquis le statut de langue scripturale ; la rhétorique latine commence même à faire l'objet de critiques.

C'est donc surtout dans la France du 17e siècle qu'une dynamique complexe s'esquisse : le français sera de plus en plus appréhendé comme le symbole d'une nouvelle identité nationale, prenant une place centrale dans la constitution de la mémoire culturelle partagée potentiellement par tous. Ce processus symbolique inclut des aspects politiques. Puisque l'absolutisme français impose un rôle politique dominant en Europe et même au-delà des frontières du vieux continent, le français langue nationale doit refléter cette supériorité sur le plan linguistique.

L'abbé Bouhours apparaît comme l'architecte essentiel de cette idéologie.

Les langues nationales sont liées à l'esprit de leurs locuteurs, et ainsi à l'esprit de cultures entières

« [...] chaque langue est un art particulier de rendre ces conceptions sensibles, de les faire voir, & de les peindre : de sorte que comme les talens des peintres sont divers, les genies des langues le sont aussi. » [Bouhours 1671, pp. 47 s.]

Ainsi, la langue française, son génie, n'utilise par exemple que peu de métaphores, qui ne conviendraient pas au caractère des Français, à « nôtre humeur franche & sincère » [Bouhours 1671, p. 51]. C'est par ce biais linguistique que Bouhours croit pouvoir établir la supériorité de la culture française sur les autres nations européennes :

>>

>>
« Le langage des Espagnols se sent fort de leur gravité, & de cét air superbe qui est commun à toute la nation. Les Allemans ont une langue rude & grossiere ; les Italiens en ont une molle & effeminée, selon le temperament & les mœurs de leur païs. Il faut donc que les François, qui sont naturellement brusques, & qui ont beaucoup de vivacité & de feu, ayent un langage court & animé, qui n'ait rien de languissant. » [Bouhours 1671, p. 62]

Bouhours insiste sur une qualité requise pour le français, sa ***pureté.*** Si la langue symbolise un caractère national, toute impureté le compromettrait, idée déjà présente chez Malherbe. Elle sera fixée dans les statuts de l'Académie Française, fondée en 1635, et maintenue, à quelques modifications près, à travers tout le 18e siècle, voire au-delà.

La ***clarté*** du français est considérée comme garante de la supériorité de la culture linguistique et littéraire française. Celle-ci est essentiellement fondée sur un « ordre naturel » sujet – verbe – objet. Le principe de la clarté de la langue française sera repris par différents penseurs ; Condillac sera un peu plus tolérant et admettra d'autres types de constructions. Mais c'est Rivarol, dans son traité *De l'Universalité de la langue française* de 1783, qui donnera une formulation devenue célèbre à cette idée de supériorité de la langue française : « CE QUI N'EST PAS CLAIR N'EST PAS FRANÇAIS ; ce qui n'est pas clair est encore anglais, italien, grec ou latin ».

Dans cette nouvelle idéologie qui s'articule autour des concepts de ***génie de la langue***, de pureté et de clarté, tout contact avec des éléments dialectaux doit être évité. Un siècle et demi plus tôt, Vaugelas avait mis en garde : « il ne faut insensiblement se laisser corrompre par la contagion des Prouinces en y faisant un trop long séjour » (*Remarques sur la langue françoise,* 1647, Préface). La norme exclut de plus en plus les dialectalismes, qui deviennent, tout comme les registres populaires, des mots « bas ».

Molière ironise sur ce nouveau purisme dans* Les femmes savantes, *où les bourgeoises Philaminte et Bélise reprennent la domestique Martine :

« PHILAMINTE
Elle a, d'une insolence à nulle autre pareille,
Après trente leçons, insulté mon oreille
Par l'impropriété d'un mot sauvage et bas,

>>

>>
Qu'en termes décisifs condamne Vaugelas.
[…]
MARTINE
Mon Dieu ! je n'avons pas étugué comme vous,
Et je parlons tout droit comme on parle cheux nous.
PHILAMINTE
Ah ! peut-on y tenir ?
BÉLISE
Quel solécisme horrible !
PHILAMINTE
En voilà pour tuer une oreille sensible.
BÉLISE
Ton esprit, je l'avoue, est bien matériel.
Je n'est qu'un singulier, *avons* est pluriel.
Veux-tu toute ta vie offenser la grammaire ? » [Acte II, scène 6].
Commentaire : la forme *j'avons* a été conservée dans certaines variétés de français, comme dans le Berry ou en Nouvelle-Ecosse, mais elle a disparu du standard. Finalement, la confiance de Martine dans le parler rural s'avère inébranlable, et Bélise conclura : « Quelle âme villageoise ! »

Cette idéologie linguistique se développe, malgré quelques voix discordantes, sans rupture majeure de l'âge classique aux Lumières et à la Révolution. Elle prend même une importance grandissante avec le glissement de l'orientation normative qui se produit au 18e siècle. Si le débat au 17e siècle a misé avant tout sur l'oralité, la France découvre maintenant l'écrit littéraire. Ce sont ces textes littéraires, désormais appréhendés comme « classiques », qui incarnent le « génie » de la langue, à savoir l'ensemble de ses qualités, reflétant la mentalité et la culture françaises. La langue française prend ainsi encore plus valeur de symbole national, en ce sens que sa maîtrise ne doit plus être un privilège social : au contraire, selon les grammairiens patriotes de la Révolution, cette compétence doit être mise à la portée de tout citoyen. Ceci exclut les autres langues du sol de la République. Une telle conception s'étendra peu à peu aux nouvelles aires françaises potentiellement francophones, les colonies.

À partir de 1790, l'abbé Henri Grégoire avait, afin de généraliser l'emploi de la langue nationale, lancé une enquête sur les compétences linguistiques dans les provinces françaises, qui le conduit à constater que les dialectes et langues régionales sont toujours très répandus. C'est ce qu'il expose dans son fameux *Rapport sur la nécessité et les moyens d'anéantir les patois et d'universaliser l'usage de la langue française* (1794), en déplorant qu'existent « environ trente patois ».

Grégoire et les patois

Dans la liste des patois, Grégoire inclut non seulement des dialectes, mais aussi des langues régionales comme le bas-breton, le provençal ou le basque, allant jusqu'au contact linguistique aux frontières hexagonales et aux colonies :

« Au nombre des patois, on doit placer encore l'italien de la Corse, des Alpes-Maritimes, & l'allemand des Haut & Bas-Rhin, parce que ces deux idiômes y sont très-dégénérés. Enfin, les Nègres de nos colonies, dont vous avez fait des hommes [par la première abolition de l'esclavage, *les auteurs*], ont une espèce d'idiôme pauvre [le créole, *les auteurs*] comme celui des Hottentots, comme la langue franque, qui, dans tous ces verbes, ne connoît guères que l'infinitif. » [Grégoire 1794, p. 3]

L'ambition de Grégoire est évidente : il s'agit d'universaliser la langue française, dont il glorifie la « démarche claire et méthodique ». Il faut donc l'implanter partout, dans une forme pure. Tout citoyen français doit la maîtriser, et les « patois » doivent disparaître. Pour Grégoire, le bilinguisme est d'autant moins une solution que l'intercompréhension transfrontalière pourrait en cas de conflit permettre une collusion avec l'ennemi. Seul le français partagé permettra de faire avancer à la fois les Lumières et l'économie de la France. Le rejet du contact est donc radical. Le peuple français, avec la Révolution, « centralise toutes les branches de l'organisation sociale », et doit ainsi « être jaloux de consacrer au plutôt, dans une République une & indivisible, l'usage unique & invariable de la langue de la liberté. » (Grégoire, 1794, p. 4). Il est également révélateur que Grégoire, anti-esclavagiste, envisage aussi d'appliquer cette politique unificatrice dans les colonies.

La présence d'autres langues apparaît ainsi comme un obstacle à la généralisation du français, donc à la culture nationale. L'idée de les faire disparaître sera mise en œuvre dans la politique scolaire au cours du 19e siècle. Elle reste encore aujourd'hui fortement ancrée dans l'idéologie linguistique française.

3. Les nouvelles donnes de la modernité

Des interventions étatiques sur le français se font jour depuis le 16e siècle, avec une accélération à partir du 18e siècle, et encore plus au cours du 20e. Ces mesures récentes relèvent de plusieurs domaines, la plupart étant en rapport avec les ***langues régionales*** d'une part, la globalisation et la ***« menace » de l'anglais*** de l'autre.

3.1. La gestion des langues régionales et des langues de l'immigration

Au début du 20e siècle, l'objectif d'unification linguistique est loin d'être atteint : l'occitan, l'alsacien, le breton, le flamand, le basque, le catalan ou le corse sont encore largement parlés, par des locuteurs souvent bilingues, même s'il reste des monolingues chez les plus âgés. C'est l'école qui va réaliser la francisation radicale sous la 3e République, avec les lois Jules Ferry de 1881-86 mettant en œuvre une véritable idéologie de promotion du français aux dépens des autres langues du territoire.

Cela ne s'est pas fait sans violence, comme le montre la pratique du symbole (ou signal), qui s'est mise en place vers le début du 19e siècle, et perdurera environ 130 ans. Elle consiste à infliger une punition à tout enfant pris à parler dans une langue autre que le français à l'école. Ce système punitif a été en vigueur là où une langue locale était très répandue, et son usage est attesté par de nombreux témoignages, dans toutes les régions ; il a même été exporté dans la colonisation. L'interdiction de « parler patois » à l'école est forte dans tous les départements alloglottes, sans toujours aller jusqu'à l'extrême du symbole, qui ne semble ni cautionné ni imposé par des textes officiels. Il faut donc penser que c'est une initiative d'enseignants pensant faire ainsi le bien des enfants, sur fond de demande sociale en faveur du français, surtout à partir du début du 20e siècle. Mais qu'il soit symbolique ou matérialisé, l'interdit n'est pas demeuré sans effet sur la perception et la représentation de leur langue première par des générations d'écoliers (voir chapitre III).

Ce ne sont pourtant pas l'État et la législation qui porteront un coup décisif aux langues régionales, mais les occasions de contacts de populations qu'ont été le service militaire obligatoire et la guerre de 14. Suite au grand nombre de morts, des régiments initialement constitués sur base régionale regroupent des hommes qui n'ont que le français pour mode d'intercommunication. Dans le même temps, à l'arrière, les femmes gèrent la vie courante et l'éducation des enfants en privilégiant le français. Les positions des langues régionales commencent ainsi à s'effriter.

En 1951 est votée la ***loi Deixonne***, intervention étatique à visée linguistique et didactique, qui autorise quelques heures d'enseignement *facultatif* pour 4 langues : basque, breton, occitan et catalan[2]. Mais l'impact de cette loi est restreint, du fait d'ambitions limitées, mais aussi par l'application restrictive qui en est faite, seulement à partir de 1969 – c'est donc une loi surtout symbolique, d'autant plus qu'il manque des enseignants pour assurer ces enseignements. Vu son impact limité, les débats qu'elle a suscités dans la presse et dans l'opinion publique sont difficilement compréhensibles aujourd'hui, et montrent à quel point l'idéologie du monolinguisme demeurait puissante. Néanmoins, des tentatives d'enseignement bilingue en immersion ont alors vu le jour, ainsi que des enseignements de « langues et cultures régionales » (avec la mise sur pied de *CAPES* pour les enseignants, entre 1985 et 2001, selon les langues). Mais elles ne concernent qu'un nombre limité d'élèves, avec des disparités selon les régions.

Au recensement de 1995, pour la première fois dans l'histoire du français, un volet linguistique a été introduit, sur un échantillon de 380 000 personnes. Il débouche sur l'enquête *Familles* de l'INSEE-INED (1999), qui montre une faible ***transmission générationnelle*** des langues autres que le français, aussi bien langues régionales que langues de l'immigration. Certaines se transmettent toutefois mieux que d'autres, comme l'alsacien parmi les langues régionales[3], ou le turc parmi les langues de l'immigration.

C'est surtout depuis les années 1960 que se pose la question des langues des immigrés, langues déterritorialisées qui partagent avec les langues régionales le statut de ***langues minorées***. La gestion de ces langues n'est pas très différente de celle des langues régionales. L'assimilation dans la francisation radicale semble la seule voie offerte, passant par l'école. Cependant, des enjeux pragmatiques, à partir de 1976 et des lois sur le regroupement familial, ont mis l'État français en porte-à-faux avec sa propre politique. Le souhait de

2. Aucune de ces langues n'a de statut dans un autre état : l'occitan et le breton sont internes à la France, le basque n'a pas de reconnaissance officielle en Espagne, et à l'époque le catalan n'avait pas encore conquis son statut actuel en Catalogne. La Loi dans sa première mouture ne concerne pas des langues qui seront ajoutées par la suite. Par ordre chronologique : flamand, alsacien, corse, tahitien, langues mélanésiennes, créoles.
3. Il faut mettre à part les créoles, institutionnellement langues de France, mais de vitalité incomparable. Voir chapitre VI.

voir quelques immigrés retourner dans leurs pays respectifs amène à signer des conventions avec la Tunisie, le Maroc, l'Algérie, le Portugal, l'Espagne, la Yougoslavie, l'Italie et la Turquie. Aux termes de ces accords, la France autorise un enseignement facultatif de ***« langues et cultures d'origine »***, dispensé par des maîtres recrutés et payés par les pays respectifs. Le bilan est médiocre, par la réticence des familles et des élèves, qui préfèrent souvent apprendre une langue étrangère comme les autres enfants. Le nombre d'élèves qui les suivent diminue peu à peu[4], d'autant plus que peu nombreux sont les immigrés à s'apprêter à retourner dans un pays que les troisièmes ou quatrièmes générations ne connaissent même plus. La situation est à peu près la même pour la Belgique.

Le dernier épisode en date illustrant les réticences envers le plurilinguisme concerne la ratification de la *Charte Européenne des langues régionales ou minoritaires*, qui vise à protéger les langues des minorités. À la suite du ***rapport Cerquiglini*** recensant les « langues de France », la France signe cette charte en 1999. Mais elle n'a à ce jour pas été ratifiée, faisant de la France l'un des rares pays européens à se tenir ainsi à l'écart. En 2008, une proposition d'amendement au point 1 de la constitution destinée à faire des langues régionales un « patrimoine linguistique de la nation » est récusée par le Sénat, et l'idée est finalement reléguée à un article sur les collectivités locales.

Pour les langues régionales comme pour les langues de l'immigration, la politique appliquée est donc plutôt la non-intervention, qui joue de fait en faveur du français, en laissant s'effriter les langues minoritaires.

3.2. La législation à l'assaut de l'anglais

Le français a beaucoup emprunté à l'anglais au cours de son histoire. C'est aujourd'hui la langue à laquelle il emprunte le plus, du fait d'un rapport de force découlant de la domination économique et technologique des États-Unis, de la globalisation et de la tertiarisation des modalités de travail, relayées par une culture populaire (surtout jeune) influencée par l'anglais. Les deux guerres mondiales ont aussi transformé les équilibres géo-politiques, avec pour effet la perte d'influence des langues internationales autres que l'anglais.

4. On peut ajouter la question de l'arabe, la langue d'immigration qui concerne le plus grand nombre potentiel d'élèves. Les jeunes sont familiers d'un des arabes dialectaux, mais la langue enseignée est l'arabe classique.

L'idéologie française ordinaire en matière de langue est depuis longtemps à la complainte sur le français menacé, dont une illustration est fournie au début des années 60 par un pamphlet qui a fait date et est encore souvent cité.

Étiemble, en 1964, donnait des exemples de ce qu'il appelait polémiquement « sabir atlantique »

« Je vais d'abord vous conter une manière de short story. Elle advint à l'un de mes pals, un de mes potes, quoi, tantôt chargé d'enquêtes full-time, tantôt chargé de recherches part-time dans une institution mondialement connue, le C.N.R.S. Comme ce n'est ni un businessman, ni le fils naturel d'un boss de la City et de la plus glamorous ballet-dancer in the world, il n'a point pâti du krach qui naguère inquiétait Wall Street ; mais il n'a non plus aucune chance de bénéficier du boom dont le Stock Exchange espère qu'il fera bientôt monter en flèche la cote des valeurs. » (p. 13).

Commentaire : on voit ici à l'œuvre les procédés du pamphlet par concentration, qui ne sont pas sans rappeler les textes de Rabelais et de Robert Etienne. L'auteur n'hésite pas à fabriquer des termes de toute pièce (étaient-ils en usage en 1964 ? C'est peu probable).

Ce qui s'entend aujourd'hui sur la menace de l'anglais a pu être dit en des termes très proches à la Renaissance à propos de l'italien, où l'on parlait d'une « italomanie ». Les propos par lesquels les puristes fustigent les effets du contact se répètent à travers les siècles. Sur un fond de lamentation quant à la dégradation de la langue et la nécessité d'un sursaut moral, les métaphores sont toujours les mêmes : d'ordre militaire (« invasion », « attaque », « forteresse assiégée »), sécuritaire (« danger », « agression », « défense »), sexuel (« forçage », « viol », « procréation de monstres », « abâtardissement »), ou de la santé physique et mentale (« contamination », « épidémie », « souillure »). Ces discours n'ont jamais empêché les emprunts : plus il y en a, plus il se tient de discours à la fois défensifs et offensifs, aux effets difficiles à mesurer.

Les emprunts à l'anglais relèvent d'un mouvement sans doute irréversible, qui connait des équivalents dans toutes les langues. Et la législation redouble de vigueur : à partir de 1972, plusieurs dizaines d'arrêtés et de circulaires ont été publiés au *Journal Officiel*, visant à remplacer des mots anglais par des mots français dans différents domaines techniques (travaux publics, pétrole, informatique, médecine, tourisme, télécommunications, audiovisuel…).

Parmi ces nombreuses lois, l'une des premières est la loi Bas-Lauriol, loi répressive de 1975 visant à protéger le consommateur contre la rédaction en anglais de notices et modes d'emploi de produits courants. Elle est abrogée ou modifiée par la loi Toubon de 1994, « relative à l'emploi de la langue française » (punitive elle aussi), qui découle de l'introduction en 1992 dans la Constitution française de la mention « La langue de la République est le français » (article 2 – il n'y avait pas de telle mention auparavant). Elle a aussi des effets sur les langues régionales[5]. Le Haut Comité de la langue française a ainsi publié une liste de 8 000 mots ou expressions anglo-américains à bannir des documents officiels, avec un équivalent français. Ces ***commissions de terminologie*** mises sur pied afin de relayer la législation font souvent surtout de la « néologie défensive ». Mais le rythme des besoins en termes nouveaux est tel que la commission ne fait guère que courir derrière les usagers.

Des néologismes plus ou moins réussis

« [...] si 'baladeur' a pu s'imposer facilement (face à 'walkman'), si 'parrainage' ('sponsoring') et 'VTT' ('vélo tout terrain' : 'mountain bike') sont en bonne voie, si 'logiciel' est un franc succès (face à 'software'), on comprend aisément que 'présonorisation' n'ait pas supplanté 'play-back', pas plus que, du moins dans l'usage courant, 'message publicitaire' n'a supplanté 'spot'. »

[Henri Boyer *in* Kremnitz, 2013, p. 187].

À ces démarches législatives s'ajoutent les actions d'organismes gouvernementaux à objectifs de « défense de la langue » : l'Académie Française, la Délégation Générale à la Langue Française et aux Langues de France, l'Organisation Internationale de la Francophonie, et l'Alliance Française, chacun ayant sa propre sphère d'activité.

Conclusion

L'histoire du français sur la période moderne montre des oscillations entre des politiques d'acceptation et de rejet de l'hybridation, plus ou moins fortes selon les époques, mais une véritable acceptation ne s'est jamais vraiment manifestée depuis la période classique. La Suisse romande et la Belgique wallonne, étant donné leur nombre réduit de locuteurs par rapport

5. Le français est « la langue de l'enseignement, du travail, des échanges et des services publics ».

à la France (respectivement environ 1 200 000 et 4 000 000) sont tributaires des politiques linguistiques françaises, mais toujours de façon plus modérée et plus ouverte.

L'arsenal législatif appuie désormais le constat de fragilisation du statut international du français : tant que celui-ci était en pleine vitalité en tant que langue internationale, il n'était nul besoin de défense institutionnelle. La législation en un tel domaine demeure d'ailleurs un processus assez vain, auquel les usagers ne paraissent pas adhérer activement.

REPÈRES POUR LES RÉFÉRENCES

Pour le rôle du contact dans l'histoire du français, Wartburg [1946] 1971 ; Amit 2013 pour une synthèse récente. Pour l'histoire du français en général, Brunot & Bruneau 1969, Cerquiglini 1991, Rey, Siouffi & Duval 2011. Le Rapport Grégoire (cité ici selon l'édition originale) est reproduit dans Balibar & Laporte 1975. Pour le purisme et sa critique, Rey 2007. Pour les mécanismes du changement linguistique et le rôle du contact dans l'histoire, Thomason 2001*, Mufwene 2008*. Pour un parallèle entre l'émergence du français et des langues romanes et celle des créoles, Schlieben-Lange 1977, Mufwene 2008*. Pour les contacts du français dans une typologie générale des contacts, Gadet, Ludwig & Pfänder 2009*. Pour le caractère multifactoriel du contact et du changement linguistique, Gadet & Ludwig 2014*.

Pour le rapport à l'époque moderne entre l'état, la gestion des langues et le citoyen, Klinkenberg 2001, qui considère toute la francophonie européenne, y compris Suisse et Belgique. Pour la législation sur les langues régionales, voir une bonne partie des articles dans Kremnitz (ed) 2013. Rey-Debove 1980 pour une mise en cause de l'idée d'envahissement du français par l'anglais. Pour la législation récente sur l'anglais, Adamson 2007. Amit 2013, pour le contact à la fois avec les langues régionales et avec l'anglais, et la législation sur ces deux sujets.

BIBLIOGRAPHIE FONDAMENTALE

AMIT A. (2013) - *Continuité et changements dans les contacts linguistiques à travers l'histoire de la langue française : Idéologies, politique et conséquences économiques*, Paris, L'Harmattan.

BALIBAR R. & LAPORTE D. (1975) - *Le français national*, Paris, Hachette.

WARTBURG, W. von ([1946] 1971) - *Évolution et structure de la langue française*, 10e édition, Berne, Francke.

SOURCES LINGUISTIQUES ET HISTORIQUES

BOUHOURS, ABBÉ D. (1671) - *Les entretiens d'Ariste et Eugène*, Paris, Sébastien Mabre Cramoisy.

ÉTIEMBLE (1964) - *Parlez-vous franglais ?*, Paris, Gallimard.

GRÉGOIRE, ABBÉ H. (1794) - *Rapport Sur la nécessité & les moyens d'anéantir le patois, & d'universaliser l'usage de la langue française*, Séance du 16 prairial, l'an deuxième de la République une & indivisible ; Suivi du Décret de la Convention nationale, Imprimés par Ordre de la Convention Nationale, édition fac-similé, Nîmes, Lacour.

REY-DEBOVE J. (1980) - « Introduction », *Dictionnaire des anglicismes* (J. Rey-Debove & G. Gagnon), Paris, Le Robert, pp. V-XIII.

POUR ALLER PLUS LOIN

ADAMSON R. (2007) - *The Defence of French. A Language in Crisis?*, Toronto, Clevedon, Multilingual Matters 137.

BRUNOT F. & BRUNEAU C. (1969) - *Précis de grammaire historique de la langue française*, Paris, Masson et Cie.

CERQUIGLINI B. (1991) - *La naissance du français*, Paris, PUF, Que sais-je ?

KLINKENBERG J.-M. (2001) - *La langue et le citoyen*, Paris, PUF.

KREMNITZ G. (ed) (2013) - *L'histoire sociale des langues de France*, Rennes, Presses Universitaires de Rennes.

REY A. (2007) - *L'amour du français. Contre les puristes et autres censeurs de la langue*, Paris, Denoël.

REY A., SIOUFFI G. & DUVAL F. (2011) - *Mille ans de langue française : histoire d'une passion*, 2e édition, Paris, Perrin.

SCHLIEBEN-LANGE B. (1977) - « L'origine des langues romanes – un cas de créolisation ? », *Langues en contact – Pidgins – Creoles – Languages in Contact* (J. M. Meisel, ed), Tübingen, Narr, pp. 81-101.

Chapitre III

TERMINOLOGIES ET ENJEUX CONCEPTUELS

Ce chapitre a pour objectif de mettre en place les concepts nécessaires à la description des contacts de langue, tout en les illustrant dans la francophonie. Sans négliger les aspects informatifs, il revêt surtout un aspect théorique, terminologique et critique, compte tenu de l'inadéquation ou de l'imprécision de beaucoup des termes permettant de traiter du contact.

1. Du côté des locuteurs (aspects individuels du bilinguisme)

Il est classique de catégoriser les locuteurs en fonction de leur rapport à une langue, surtout compte tenu de la façon dont ils l'ont acquise.

1.1. Les rapports des locuteurs avec les langues

Un ***locuteur*** est dit ***natif*** d'une langue quand il maîtrise celle-ci en tant que sa ***langue maternelle***. Les natifs sont réputés avoir un rapport privilégié à leur langue, source d'un savoir sûr et d'une conscience linguistique, qui les rend capables de jugements sur ce qui peut ou ne peut pas se dire dans la langue. Mais ces deux termes doivent être passés au crible, à la fois sur le plan des individus et des cultures dans lesquelles une langue est parlée.

Un locuteur peut être natif d'une langue qui n'est pas celle qu'il maîtrise le mieux, en particulier s'il a été socialisé et scolarisé dans une autre langue : « natif » n'équivaut pas toujours à « excellent locuteur ». La dénomination de « langue maternelle », s'applique mal dans un certain nombre de pays, africains en particulier, où le plurilinguisme est omni-présent et où la majorité des enfants acquièrent plusieurs langues en même temps, parmi lesquelles d'ailleurs il n'y a pas toujours celle de la mère.

À « langue maternelle », on en est ainsi venu à préférer des dénominations plus ou moins adaptées selon les cas : ***langue première***, familiale, parentale, ou natale. Un avantage de « langue première » est de laisser place à ***langue seconde***, qui évite de ne disposer que de la dichotomie avec ***langue étrangère***. Cette perspective permet aussi d'envisager un possible continuum dans le degré de maîtrise. Pourtant, ce terme aussi est problématique : la maîtrise et la compétence linguistiques dans une langue, quel que soit l'âge où elle a été acquise, peuvent être diversifiées selon les activités pratiquées avec la langue (une large gamme, ou au contraire des activités en nombre limité).

On peut ainsi opposer un Louisianais, natif du français mais qui parle anglais dans la plupart de ses activités et français seulement à la maison, et un Camerounais de Yaoundé, non natif mais dont la plupart des activités se déroulent en français. Il n'est donc pas possible de négliger le statut fonctionnel des langues en présence, ainsi que la ***valorisation*** qui leur est prêtée, les locuteurs ***minoritaires*** étant aussi des sous-utilisateurs d'une langue dévalorisée ou même stigmatisée, qui risquent d'être dans une position d'insécurité en parlant français. Au Nouveau-Brunswick par exemple, seule province canadienne officiellement bilingue, ce sont en général les francophones, souvent en insécurité, qui sont bilingues.

Il est donc difficile de parler de ***bilinguisme*** sans se référer aux représentations et aux ***attitudes*** des locuteurs (plus ou moins positives ou négatives) envers leurs langues. Des écrivains ont su bien en parler.

Des écrivains du monde entier qui écrivent en français

Le Martiniquais Patrick Chamoiseau montre la déchirure de l'écrivain entre deux langues, dans son cas le français et le créole :

« L'abandon de la langue maternelle pour la langue élue relève d'un holocauste nécessaire à la divinité monolingue qui nous tient. La maîtrise de la langue nouvelle passe par la dessèche en soi de la langue première, et nous hâtons ce dessèchement [...] » [1996, p. 250]

Alain Mabanckou, né à Pointe-Noire au Congo, qui vit entre la France et la Californie où il enseigne, adopte une tout autre attitude :

« L'argument principal de ceux qui souhaitent aujourd'hui 'écrire sans la France' est que le français serait entaché d'un vice rédhibitoire, insurmontable, inexcusable : *c'est la langue du colonisateur*. C'est une langue qui ne nous permettrait guère de nous exprimer avec authenticité. 'Authenticité' ? Encore un mot chargé de conséquences inimaginables. N'est-ce pas au

>>

>>
nom de l'authenticité que certaines nations du continent noir ont vu leurs populations sombrer dans la déliquescence ? » [2012, p. 138]

1.2. Les idéologies sur le contact

Les représentations sont différentes quand il s'agit d'évaluer les façons de parler de l'autre. Une longue tradition de condescendance, de la part des natifs, envers les locuteurs de langue seconde ou étrangère, se voit dans des moqueries et des jugements négatifs sur la façon dont des non-natifs s'expriment en français. Il s'agit sans doute d'un effet dérivé de ***l'idéologie du standard***, répandue en France et reprise par beaucoup de francophones à travers le monde (voir chapitre II). Au lieu d'applaudir des locuteurs s'exprimant dans une langue qui n'est pas la leur, il est fréquent que les performances non natives fassent l'objet de dénominations qui expriment des schémas récurrents dans le lexique français.

Aperçu de termes péjoratifs qualifiant des usages hybrides (de fait, les disqualifiant)

À côté du général *jargon* (et *jargonner*), qui ne concerne pas spécialement un étranger, le terme *baragouin* (et ses dérivés *baragouiner, baragouinage*), que l'on rencontre déjà chez Rabelais, aurait pour origine une désignation des Bretons parlant mal le français. Il serait constitué des mots bretons *bara*, « pain », et *gwin*, « vin », utilisés par les voyageurs pour demander dans les auberges à assouvir leurs besoins fondamentaux.

On peut regarder comme synonymes approximatifs *charabia* (qui proviendrait du provençal *charra*, « causer », « faire conversation », caractérisant l'auvergnat), *galimatias* (vieilli, que l'on trouve chez Molière), *sabir* (qui au départ s'applique à une *lingua franca* méditerranéenne, le nom étant forgé sur le verbe *savoir* en espagnol ou en provençal[1]). On peut faire entrer dans la même catégorie des expressions comme *parler français comme une vache espagnole* (vraisemblablement à l'origine, « comme un Basque espagnol »).

Ces termes reviennent toujours à « parler de façon incompréhensible », rappelant ainsi le *barbare* des Grecs (ceux qui ne parlent pas grec). Dans l'application à des façons de « mal parler » le français, ils véhiculent un parfum stigmatisant sur les façons de parler, voire sur les locuteurs.

L'origine de plusieurs de ces termes s'avère inconnue, incertaine ou controversée.

1. *Sabir* a souvent désigné la façon de parler un français acquis sur le tas au Maghreb, et ultérieurement celle d'immigrés en France. *Baragouin* a aussi été appliqué aux pidgins antillais et aux créoles.

Avec « petit-nègre », on voit comment un jugement social négatif porté sur des colonisés a pu conduire à dévaloriser des locuteurs : le jugement sur une façon de parler s'étend à une personne, associée à une population jadis regardée comme inférieure.

Petit-nègre

Le terme petit-nègre est à situer dans le contexte de son usage européen à propos des Africains : le colonisateur français a imposé sa langue aux dépens des langues autochtones. Ce terme renvoie à des variantes jugées dégradées ou inférieures, supposant des représentations caricaturales, dévalorisantes, racistes. Il englobe tout ce qui correspond au *français-tirailleur*, exposé dans un manuel militaire du début du 20e siècle, indiquant comment s'adresser aux indigènes qui ne disposent que de rudiments de français. On trouve aussi *petit français, français cassé, français-façon* ; et parfois *patois*, extension abusive de la situation française. Certains de ces termes sont même assumés par une partie des locuteurs.

Le petit-nègre repose sur l'idée que les Africains et parfois les Antillais parlent tous français de la même manière, quelle que soit leur langue première, comme s'il s'agissait d'un trait biologique. Ce stéréotype sous-tend lourdement les publicités *y a bon Banania* : l'affiche qui représente un tirailleur sénégalais au bon rire enfantin a été utilisée par la marque de 1915 à 1977.

Dans ses mémoires, Amadou Hampâté Bâ évoque une ancienne dénomination endogène : « Comme tous les anciens tirailleurs, il parlait ce français pittoresque et imagé que nous appelions *forofifon naspa*, mais en peul et en bambara sa langue était irréprochable. » [1994, p. 102]

Commentaire : on trouve différents exemples littéraires dans l'article « Xénolecte ou pidgin ? Un siècle de 'petit nègre' : Cham, Hergé, Mat et les autres (1859-1958) » [sans nom d'auteur sur le site https://www.u-picardie.fr/LESCLaP/spip.php?rubrique43].

On peut se demander si le français constitue un extrême dans ces ***stéréotypes*** sur les façons de parler de non-natifs. Même si les cultures ayant pris des mesures humiliantes afin d'éradiquer une langue concurrente ne manquent pas, la France est allée très loin dans la violence symbolique.

1.3. Négociations ordinaires de communication

Les locuteurs ou groupes de locuteurs de langues différentes ne cohabitent pas toujours aisément sur un même territoire : la confrontation des langues peut s'avérer plus ou moins harmonieuse. Toutefois, différentes pratiques permettent aux humains d'établir une communication même sans le partage d'un ***vernaculaire***. Ils ont alors recours à des ***véhiculaires***, qu'il s'agisse d'une langue imparfaitement maîtrisée par chacun mais assurant une intercompréhension, ou de l'émergence d'une ***lingua franca*** ou d'un ***pidgin***.

La co-présence de langues donne lieu à des négociations communicatives entre usagers, en partie tributaires du degré de connaissance de la langue de l'autre. Pour qualifier les façons, assez conventionnalisées voire universelles, de s'adresser à ceux dont on pense qu'ils risquent d'avoir du mal à comprendre, on reprend généralement le terme anglais de ***foreigner talk***, parfois rendu en français en ***xénolecte***.

Lorsque se croisent deux locuteurs ne parlant pas la même langue, si chacun n'a qu'une compétence limitée dans la langue de l'autre, des processus d'adaptation réciproque se mettent en place, tendant vers une ***simplification***. Le matériau linguistique est réduit à des séquences courtes, analytiques, évitant les mots trop spécifiques, raréfiant les mots-outils (parataxe), réduisant le système des pronoms ou des personnes verbales, préférant des temps comme le présent ou des formes impliquant l'infinitif, éliminant les redondances ou des catégories moins fondamentalement informatives comme l'adjectif ou l'adverbe... Ces processus de simplification sont régis par des facteurs universels : on voit à l'œuvre des mécanismes similaires dans des écologies de contact différentes (voir la référence à la fin de l'encadré « Petit nègre »). Ils conduisent à l'émergence ou au renforcement de ***structures non marquées*** (peu spécifiques, utilisables dans différents contextes, faciles à produire, à décoder et à mémoriser, prenant appui sur le savoir partagé ou sur le contexte), et de la ***transparence*** biunivoque (une forme = un sens, et inversement).

Ces simplifications se combinent d'ailleurs souvent avec d'autres phénomènes de contact.

Français d'un locuteur togolais, dont la première langue est l'ewe

Koffi Amevo : je fais tous les jours mon fort pour gagner un peu et je vais utiliser mon sous pour ce que je trouve grâce à Dieu cette année j'ai gagné un peu (...) ***avec aide*** de mon grand frère qui est en Europe aussi...

>>

>>
Commentaire : le segment *avec aide* est une copie de l'ewe, langue qui ne connait ni genre grammatical ni articles. Le locuteur simplifie ainsi le français : l'omission de l'article, fréquente en français togolais, est une structure non marquée qui évite le choix du genre.

[CIEL_F Togo, enregistrement et transcription de Stefanie Müller et Patrick Afotou]

Quand le contact perdure ou se reproduit (au plan individuel ou social), en particulier dans les situations coloniales où chacun ignore la langue de l'autre, il peut y avoir émergence d'un ***pidgin***, système de communication rudimentaire répondant à des besoins limités. Un pidgin ne se maintient que tant que se perpétuent les besoins sociaux qui l'ont vu naître, et il convient aux deux parties, du fait des processus universels sous-jacents.

Une intercommunication minimale assurée par un pidgin : exemple du tây bôi

Le tây bôi (parfois dit « français vietnamien ») s'était développé en Indochine, actuel Vietnam, pendant la colonisation française. Désormais disparu suite au départ des colons français, le tây bôi permettait une communication, forcément rudimentaire, entre les maîtres français et leurs serviteurs « annamites » (ancienne dénomination des Vietnamiens).

La morphologie du tây bôi était minimale, tous les mots étaient invariables, les fonctions syntaxiques étaient exprimées par la seule position des mots. Les attestations dont on dispose sont très peu nombreuses.

Même si l'on réserve en général l'étiquette de ***bilingue*** à la maîtrise complète de deux langues, il y a à travers le monde davantage de locuteurs qui circulent entre deux langues ou plus, que de monolingues.

2. Aspects sociaux et sociétaux du contact

L'idéologie du monolinguisme s'avère plus répandue à travers le monde que l'acceptation ou la promotion du plurilinguisme. Et un peu partout, les humains cherchent à imposer leur langue aux dépens de celles des autres.

2.1. Gestion étatique de la cohabitation entre langues

Il n'existe probablement pas de pays totalement monolingue, et nulle part les frontières des états ne correspondent aux frontières linguistiques. Mais certains pays affichent un monolinguisme politique : c'est le cas de l'idéologie linguistique de la France. À l'inverse, les autres pays européens où le français est partie prenante affichent leur plurilinguisme. D'autres pays enfin couvrent un plurilinguisme de fait sous le seul français langue officielle, comme beaucoup de pays africains postcoloniaux (voir chapitre V).

Les ***politiques linguistiques*** (ce que les Canadiens désignent sous le terme d'***aménagement***) produisent des législations. Elles tiennent plus ou moins compte de la ***vitalité*** des langues (nombre croissant/décroissant de locuteurs, expansion/rétrécissement des fonctions assurées par la langue). Cette gestion officielle vise des questions pratiques de gouvernement, d'administration, d'enseignement et de juridiction, mais elle ne demeure pas sans effets sur les attitudes des locuteurs envers les langues en contact (voir plus haut). On en voit un exemple avec les langues des immigrés en France, généralement évaluées de façon négatives (voir chapitre II).

Du point de vue de la législation, le statut essentiel concerne la (ou les) ***langue(s) officielle(s)***, souvent inscrite(s) dans la constitution, mais pas toujours (on a vu qu'en France ce n'est le cas que depuis 1992).

Beaucoup de pays francophones sont officiellement bi/plurilingues. Dans la continuité territoriale qu'est la francophonie européenne, seule la France est officiellement monolingue. La Suisse a 3 langues officielles (allemand, français, italien), mais 4 langues nationales car s'ajoute le romanche, parlé dans le canton des Grisons. La Belgique aussi a 3 langues officielles (néerlandais sous la forme du flamand, français, allemand). Ces deux pays appliquent une ***répartition territoriale*** des langues. La Suisse est ainsi divisée entre une aire romande, une aire alémanique (un peu plus de 70 % de la population) et une aire italophone (le Tessin). Pour la Belgique, la Wallonie au sud est francophone, la Flandre au nord est néerlandophone, la petite zone germanophone (dans les 70 000 locuteurs) est à l'est aux confins de l'Allemagne ; et Bruxelles est bilingue.

Les langues à Bruxelles

Les cas de cohabitation de longue durée entre le français et une autre langue sont rares en Europe : Bruxelles constitue une exception, avec la cohabitation entre le français et le flamand, source continuelle de conflits. Le français, minoritaire en Belgique (40 % environ des locuteurs), est majoritaire à Bruxelles, ville officiellement bilingue située en territoire flamand.

La ville de Bruxelles a été d'expression néerlandophone avant de se franciser à partir du 16e siècle mais surtout au 18e, et d'être aujourd'hui francophone à 85 % environ. Il est difficile d'être plus précis, car le conflit linguistique latent a interdit tout recensement depuis la fixation définitive du tracé de la frontière linguistique, par une loi de 1962.

La position du français à Bruxelles est renforcée par la présence d'institutions internationales (qui favorise aussi l'anglais), et par une immigration maghrébine, surtout marocaine, qui joue plutôt en faveur du français ; mais elle est affaiblie par la forte domination économique de la Flandre en Belgique.

Le Canada ne reconnait comme officiels que l'anglais et le français, n'accordant de statut aux langues des premières nations qu'au Québec, dans les territoires du nord-ouest et au Nunavut (voir chapitre IV) : il s'agit d'un ***bilinguisme de personne***, chaque citoyen pouvant (en principe) se faire partout servir dans la langue de son choix. Enfin, pour l'Afrique, le français est soit seule langue officielle, soit langue co-officielle, selon les pays. Ainsi, la République Démocratique du Congo (ex-Zaïre) n'a que le français pour langue officielle, mais 4 langues nationales se partagent les grandes aires géographiques : le lingala, le kiswahili, le kikongo et le ciluba, quand les autres langues sont dites « ethniques » ou « tribales ». Le Centrafrique au contraire a rendu en 1991 le sango, ***véhiculaire*** parlé par la majeure partie de la population, co-officiel à côté du français.

Le statut de langue officielle, qui va de pair avec un statut privilégié dans les activités les plus prestigieuses, dans l'écrit autre qu'ordinaire et dans l'enseignement (surtout supérieur), est souvent source de pouvoir, mais il ne garantit pas un usage effectif par la majorité de la population.

En l'absence de législation quand il y a plusieurs langues en présence, le laisser-faire institutionnel profite à la langue la plus forte (en général majoritaire), ce qui peut aboutir à la minorisation, précarisation, et finalement disparition de l'une des langues, en un processus d'***obsolescence, attrition*** ou ***étiolement***. Avec la réduction des domaines d'utilisation, au fur et à mesure que les locuteurs de la langue dominée passent à la langue dominante, la langue cesse d'être utilisée avec créativité (en particulier jeux avec les mots et capacité métalinguistique), ce qui obère la transmission à la génération suivante. On parle de façon ordinaire de ***mort*** d'une langue, en calquant le destin des langues sur la métaphore de la destinée des humains (naissance, évolution, mort).

Les termes savants ***glottophagie*** (et langue glottophage) ou ***linguicide*** visent tous les deux une langue et une culture (on dit aussi parfois « langue tueuse ») devant lesquelles une ou plusieurs autre(s) langues/cultures ont disparu[2]. Malgré des limites du fait que les langues n'existent que parce que des humains en sont porteurs (ce ne sont donc pas les langues elles-mêmes qui « tuent »), cette métaphore a l'intérêt de souligner ce qu'ont été les processus linguistiques dans la colonisation, et particulièrement la colonisation française, et ce qui perdure souvent dans les situations post-coloniales.

2.2. Le concept de diglossie

Quand il y a disparité des fonctions sociales qui se tiennent dans deux langues co-existant sur un territoire, on parle de ***diglossie***. Ce terme a été introduit en linguistique par Charles Ferguson dans un article de 1959, afin de préciser la notion trop vaste de ***bilinguisme***.

Les domaines d'utilisation des deux langues en présence sont en complémentarité : Ferguson parle de ***variété haute*** pour désigner l'idiome dans lequel se déroulent les activités prestigieuses (gouvernement, administration, affaires, enseignement supérieur), et de ***variété basse***[3] pour celui des activités quotidiennes et ordinaires. Cette répartition fonctionnelle redouble souvent l'opposition entre oral et écrit. Il est fréquent que seule la variété haute, qui a fait l'objet d'une ***standardisation***, s'écrive et qu'elle jouisse d'un corpus littéraire (du moins y a-t-il distinction entre deux types de littératures). Un éventuel aménagement, si l'on veut doter la variété basse d'une écriture, ne va pas sans d'évidents enjeux politiques. Les deux variétés se distinguent aussi par leur mode d'acquisition : la variété quotidienne s'acquiert sur le tas, dans la famille ou dans la rue, alors que la langue prestigieuse fait l'objet d'une transmission scolaire explicite, outillée de grammaires et de dictionnaires.

2. Selon cette métaphore, le français a été fortement glottophage.
3. Ces deux adjectifs ne sont pas très heureux, impliquant immanquablement des jugements de valeur et une dépréciation des pratiques ordinaires et de l'oralité.

L'un des 4 exemples par lesquels Ferguson illustre le concept de diglossie concerne la francophonie : il s'agit de la relation entre français et créole haïtien en Haïti.

Exemple classique sur la diglossie, Haïti

Historiquement, Haïti a été le premier État noir indépendant du monde (1804). Pendant longtemps, seul le français y a été langue officielle, jusqu'en 1988 où le créole a été déclaré co-officiel.

Dans le modèle de Ferguson, les deux variétés devaient être systémiquement assez distantes dans une même langue. Or, un tel classement s'avère difficile quant à la relation typologico-génétique du créole et du français. C'est pour englober de tels cas que Fishman 1967 a proposé d'élargir la définition du terme : les variétés haute et basse peuvent relever de deux langues différentes – si bien que cette question ne constitue plus un contre-argument pour appliquer le modèle de la diglossie à Haïti (voir chapitre VI).

On parle de ***diglossie emboitée*** (ou ***enchâssée***) quand il y a plusieurs niveaux de diglossie (en général deux), configuration fréquente en Afrique postcoloniale. Ainsi par exemple, au Mali, le français est variété haute par rapport au bambara, qui lui-même domine les langues ethniques par son statut et les fonctions qu'il permet d'assurer. Il en va de même au Sénégal pour le wolof, en position intermédiaire entre le français variété haute, et le pulaar, le mandingue, le dioula, le sérère, le soninké ou le mandjak.

Le concept de diglossie a été à la fois beaucoup repris et beaucoup critiqué, surtout sous deux aspects. D'une part, le figement que pourrait impliquer la répartition fonctionnelle si elle est prise sans dynamique ; d'autre part, la sous-évaluation des effets des pouvoirs politique et économique, qui pourrait laisser croire que les locuteurs de la variété basse se satisfont du *statu quo*, sans qu'il y ait germes de conflit et de changement. Or, on voit au contraire aussi bien des variétés anciennement basses conquérir des domaines formels (cas du wolof au Sénégal, dont l'usage s'étend aux dépens du français), et des variétés de français s'étendre vers les domaines informels (cas de la langue acquise sur le tas, par exemple à Abidjan).

Ainsi, malgré ses limites et à condition d'éviter de le généraliser à tous les cas où deux langues sont en co-présence, ce concept représente assez bien les relations entre une langue dominante et une langue dominée.

3. Approche de l'analyse du contact en situation : effets linguistiques

Devant l'évidence de l'omni-présence du contact des langues dans la francophonie, la tâche du linguiste est d'abord d'ordre descriptif et analytique. Il doit montrer quels sont les rapports entre les langues en contact, quels sont les enjeux, au niveau des pratiques des locuteurs, des sociétés et des institutions, mais aussi des systèmes. C'est sur cette base d'analyses concrètes que des politiques linguistiques peuvent être définies. Et ces analyses exigent de préciser des outils théoriques et terminologiques, peu nombreux et maladroits dans une discipline linguistique qui a beaucoup négligé les contacts entre les langues, probablement en rapport, même inconscient, à l'idéologie du standard et du monolinguisme.

Lorsque le français cohabite avec une autre langue en un même espace, on parle de façon courante de ***situation de contact*** avec une ou plusieurs autre(s) langue(s), impliquant en général des groupes sociaux assez larges ; on peut aussi parler de ***constellations de contact***. Celles-ci se réalisent en différentes ***situations de communication***. C'est avant tout par des contacts ordinaires répétés entre locuteurs (y compris entre scripteurs et lecteurs) que des effets langagiers se produisent. Les conséquences du contact individuel dans des situations de communication, comme l'adoption d'un mot d'une autre langue, peuvent demeurer un produit éphémère. Mais ils peuvent aussi, à force d'être répétés et reproduits, se propager et devenir partie prenante du système. C'est à partir du moment où se produit un tel processus de ***conventionnalisation*** qu'on peut dire qu'est intervenu un changement linguistique dû au contact.

La notion d'***hybridation*** est à prendre comme un terme générique pour qualifier tout effet linguistique exercé par une langue sur une autre. Une première opposition s'établit entre ***pratique d'hybridation*** et ***langue hybride***. Une pratique d'hybridation est un acte individuel, alors qu'une langue hybride a intégré dans son système une proportion importante d'éléments d'une ou plusieurs autre(s) langue(s). Un type spécifique de langue hybride est la ***langue mixte***, où le système serait constitué d'un lexique provenant d'une langue et de la grammaire d'une autre, si une telle chose est possible.

Deux langues (ou deux variétés d'une même langue) peuvent alterner dans une même situation communicative : on parle alors d'***alternance codique***.

Exemple d'alternance codique dans le français du Caire

Trois amies d'une cinquantaine d'années discutent principalement en français, dans le salon de l'une d'entre elles.

Hadia : Hm. Ah, le film ... Oui, oui, oui
Esma : Emmanuelle
Hadia : ***Yeah. Those were the days.***
Esma : ***Those were the days*** (rit).
Hadia : Hmhm.
Esma : Tu as des livres français ? Passe-les moi !
Layla : Oui ?
Esma : Hmhm ?
Layla : **<(3al 3omoum) kann echtareet (...)>**
Traduction : <*De toute façon, j'avais acheté*>
Hadia : Ah, et puis il y a... Et pour moi, je lis beaucoup de poésie aussi [Dermarkar & Pfänder 2010, p. 115]

Commentaire : ici, l'alternance codique intervient aux changements de tours de parole. Il y a d'abord une alternance vers l'anglais ; bien que Hadia se réfère ici à une chanson très connue, il ne s'agit pas d'une simple citation, ce que signale *yeah* : elle veut vraiment changer de langue. Esma répète en anglais, puis alterne vers le français. Peu après, Layla alterne vers l'arabe, de nouveau en début de tour.

L'anglais est indiqué en italiques gras, l'arabe en gras. Les chevrons délimitent le segment traduit.

L'alternance codique opère plutôt entre segments longs, et, en général, elle implique une compétence certaine dans les deux langues (ou codes). Elle est quotidienne dans de nombreuses sociétés de contact, où elle obéit à des principes pragmatiques, sensibles aux relations entre les locuteurs, aux sujets dont il est traité, au caractère plus ou moins formel de l'échange. Dépendant aussi des groupes sociaux, elle assume des fonctions multiples, à la fois textuelles, sociales ou identitaires, selon des proportions différentes selon les cas.

Alternance codique dans l'écologie de contact français-tamoul à Pondichéry

¿ elle touche l'argent de son mari ? <***ama cinna kattacci* Romulustan**>

Traduction : *<évidemment [elle était] jeune femme mariée avec Romulus>*

[Kelkar-Stephan 2005, p. 206]

Commentaire : à Pondichéry, le français est en situation d'obsolescence. L'alternance semble ici jouer un rôle à la fois textuel (souligner la partie essentielle du discours, par opposition au savoir partagé) et identitaire, montrant la maîtrise des deux langues.

L'alternance doit être distinguée de la ***copie***. Une copie introduit un ou plusieurs élément(s) d'une langue de contact dans les séquences de la langue qui sert de base, dite ***langue matrice***. En général, une copie est plus courte qu'une alternance, mais il est souvent difficile d'établir la frontière entre les deux phénomènes, comme dans l'exemple suivant.

Conversation informelle au Caire

Layla : … et les étudiants ont pu s'exprimer de ce qui se passe en Égypte. Les jeunes ne sont pas libres de … **<ya3ni>** euh, de s'exprimer. Tu dis quelque chose, tu es en prison. Puis, ceux qui sont en prison, ils sont tellement … démoralisés, quand ils sortent, ils peuvent pas continuer leur vie comme avant, **<ya3ni biye7Sal ta3zib gamed awi fil sogoun ya3ni. Ya3ni biDammarou elchabab fi masr, fi(l) sogoun.>** Ça, c'était le thème.

Traduction : *<Il se passe des tortures atroces dans les prisons, c'est-à-dire ils étiolent la jeunesse en Égypte, dans les prisons>*

[Dermarkar & Pfänder 2010, p. 119, dont nous respectons les conventions]

Commentaire : le marqueur de discours *ya3ni* (« c'est-à-dire ») figure tout d'abord comme copie. Il est ensuite repris pour introduire une alternance vers l'arabe à l'intérieur du même tour de parole.

Une distinction passe donc entre alternance d'une part, et de l'autre différentes formes de copies, qui recouvrent ce qui est traditionnellement nommé ***emprunt, calque*** et ***interférence***. Elle se substitue à l'opposition traditionnelle entre ***alternance codique*** (« code-switching ») et ***mélange de codes*** (« code-mixing »), distinction binaire qu'il apparaît inutile de conserver car elle est trop difficile à établir dans la pratique, les productions langagières se présentant de fait selon un continuum.

Le terme « copie » exige à son tour d'être précisé, en plusieurs types. On parle de ***copie ouverte*** quand et le signifiant et le signifié (y compris les structures grammaticales) donnent lieu à copie.

Exemple du tayo, langue hybride à base française parlée par environ 3 000 locuteurs en Nouvelle-Calédonie

se *ki,* ***ñoka**-la ?*
PRES qui femme-DEM/DEF
Traduction : *Qui est cette femme ?*

[exemple tiré de l'article de S. Ehrhart & M. Revis *in* Michaelis *et al.**, eds., 2013, vol. 2, p. 274]

Commentaire : tous les éléments de cette séquence dérivent du français, sauf *ñoka*, qui provient d'une langue mélanésienne. Les copies ouvertes récentes sont souvent, comme ici, faciles à repérer.

La ***copie lexicale ouverte*** est le phénomène de contact le plus fréquent, qui correspond à l'***emprunt*** dans la terminologie traditionnelle. Il désigne la reproduction, plus ou moins conventionnalisée, d'un terme du lexique. La conventionnalisation elle aussi se présente en continuum. L'intégration au français remonte parfois tellement loin dans l'histoire de la langue que l'origine « autre » n'est plus perçue par les locuteurs modernes : tel est le cas en français pour certains mots d'origine arabe (voir chapitres I et II). Les mots empruntés de façon ancienne ont eu le temps d'être adaptés phoniquement au français, comme *paquebot* où l'on ne reconnait plus l'anglais originel « packet-boat ». Parfois, l'adaptation phonique et morphologique est patente (visible et audible), en particulier pour des verbes comme *kiffer* (sur l'arabe) ou *liker* (sur l'anglais, prononcé avec une diphtongue) dans les parlers jeunes en France[4], ou comme *watcher* au Canada. Il en va différemment avec des emprunts récents, individuels ou ponctuels, comme *blacklister*, *je voudrais checker out* (entendu dans un hotel, dans la bouche d'un francophone parlant français), ou la publicité *enfin ! shoppez on line*.

4. Certains de ces mots finissent par pénétrer (avec parcimonie) dans les dictionnaires, en particulier dans le *Petit Robert*, parmi les moins conservateurs.

Ces exemples montrent que la conventionnalisation s'accompagne souvent d'une ***adaptation-intégration*** phonétique et morphologique au système du français. Mais ces deux processus graduels ne sont pas forcément liés.

Quant à la ***copie couverte***, elle concerne le seul signifié. Les exemples ordinaires recouvrent des mots pour lesquels les puristes parlent volontiers d'une « invasion pernicieuse », comme, concernant l'anglais, *réaliser* pour « comprendre » ou *opportunité* pour « occasion ». D'autres cas montrent des mécanismes plus complexes, comme *gratte-ciel* où il y a copie à la fois du signifié et de la structure de « sky-scraper », avec une double adaptation au français, par le signifiant français, et par le changement d'ordre dans la détermination, comme c'est aussi le cas de *table-ronde* (de « round table »).

Ce type de copie correspond, dans la terminologie traditionnelle, au ***calque***, qui concerne plutôt des termes du lexique et qui est souvent difficile à identifier sans connaissance de la langue source. Mais une copie couverte peut aussi concerner des structures sémantico-grammaticales, où elle est alors difficile à détecter.

Des calques syntaxiques dans la presse

L'ouvrage de McLaughlin 2011 traite des effets dans la presse française de la traduction à grande échelle des nouvelles internationales à partir de l'anglais.

Voici un exemple concernant le passif impersonnel :
Il a été convenu d'utiliser des ceintures d'explosifs pour des soucis de précision et de causer des dégâts maximum

Original : *It was agreed to use suicide belts for precision and to cause maximum damage.* (p. 62)

Enfin, on parle d'***interférence*** pour désigner l'empreinte laissée par la langue d'origine dans la langue-cible, possiblement à tous les niveaux linguistiques. L'interférence est souvent assimilée à une faute (inconsciente), liée à une maîtrise insuffisante ou à une forte imprégnation de l'autre langue (par exemple chez les migrants, pour leur langue première) ; elle n'est donc pas conventionnalisée. Ce terme n'est cependant pas très satisfaisant, d'une part par l'attitude normative qu'il présuppose, d'autre part parce qu'il est souvent difficile d'établir si une copie est individuelle ou partagée. Plusieurs locuteurs peuvent en effet adopter le même trait, et déclencher ainsi ce qui deviendra une caractéristique de la variété locale de français. En ce cas, tôt ou tard, le phénomène peut être repris par des locuteurs monolingues.

Dans l'usage effectif, il y a intrication entre les différents cas de figure que nous venons de voir, ce qu'illustre l'exemple suivant.

Le français à Bruxelles

Conversation entre trois locuteurs : Eugène (L1, dans les 80 ans), francophone pratiquant aussi le flamand, et sa nièce Eliane (L3, dans les 50 ans), dont les seules traces de confrontation entre langues sont dans la prosodie. L2 n'intervient que très peu dans ce passage. Eugène fait ici un récit.

L1 mais oui / on était allé à la | kermesse <L2> procession | procession / et voilà que Jésus passe avec la procession et moi / comme je savais pas ça / **ahwel** qu'est-ce qu'i y a ? le **pei** i tombe

L3 et alors ?

L1 le **pei** i tombe et moi **avec ma bête figure** je vais chercher le **pei** et je tire et je tire comme ça hein **ja** et euh: il pend déjà sa couronne à mon pull-over hein / | et moi je dis qu'est-ce que c'est ça ? <L3> je te vois déjà à l'œuvre | et i me rEgarde comme ça mais i dit rien

L3 ça je pense | hein

L1 alors | qu' est-ce que je vois **en une fois / à mon pied** / ah bien / **da' was z'n** c'est des lances **as ge da' kent** hein / des lances de soldat / alors moi je me rappelle ça **godverdoeme** le bon Dieu i tombe à tous les coins de rue / et moi j'ai foutu le **pei** par terre hein / comme ça don / ah **ja**

[Extrait de Francard, 1989-1997]

Commentaire : nous suivons ici la transcription de Francard, où tout ce qui se rapporte au flamand est noté en gras. Dans cet extrait, on trouve des termes flamands, comme *ahwel*, « eh ben », *pei*, « type » ou *godverdoeme*, « nom de Dieu », des alternances (*da' was z'n*, « c'était son » ; *as ge da' kent*, « si tu connais ça »), et des calques (ou copies couvertes) : a*vec ma bête figure*, qui reprend l'ordre des mots flamand (« met mijn dom gezicht »), *à mon pied* (au singulier, comme dans « aan mijn voet »), ou *en une fois*, du flamand « eens », tout à coup.

Après la disparition de la génération d'Eugène, cette façon de parler avec un tel degré d'hybridation a désormais disparu de Bruxelles. Les jeunes générations la pratiquent seulement dans quelques patrons rythmiques et mélodiques (on parle alors de ***copies matérielles***), et de quelques termes lexicaux.

Dans cet ouvrage, nous donnerons en général, par souci de lisibilité, la préférence à la terminologie traditionnelle ; ce faisant, nous nous référons néanmoins aux réflexions générales qui viennent d'être esquissées.

Conclusion

La littérature sur le bilinguisme et sur le contact a souvent tenté d'énumérer les raisons pour lesquelles les locuteurs d'une langue s'approprient des éléments d'une autre langue. Mais les motivations apparaissent extrêmement diversifiées, et diffèrent d'une écologie à l'autre.

Une autre question concerne l'effet du processus sur une langue : comment une copie s'intègre-t-elle dans un autre système ? Deux perspectives théoriques s'opposent ici, l'une qui privilégie les effets des caractéristiques grammaticales, l'autre ceux des facteurs sociaux. Dans la première option, un transfert linguistique serait facilité par une proximité structurelle (un certain degré de ***congruence***). Dans la seconde hypothèse, ce sont les facteurs extra-linguistiques qui l'emportent.

Nous verrons dans la seconde partie différents cas de figure, au cours d'un tour d'horizon de la francophonie hors d'Europe.

REPÈRES POUR LES RÉFÉRENCES

Pour des exposés critiques des termes « locuteur natif », « langue maternelle », « langue seconde », voir Moreau 1997*, ainsi que plusieurs autres articles liés. Pour la difficulté ordinaire à accepter le bi/plurilinguisme, Gadet & Varro 2006. Pour les relations entre les langues et leur vitalité, Calvet 1987 pour la métaphore du conflit, de la guerre et du rapport de force, Hagège 2000 pour la métaphore de la mort. Pour la diglossie, Ferguson 1959, Fishman 1967 et Tabouret-Keller 2006.

Pour les multiples fonctions des différents phénomènes d'hybridation dans le discours, voir Gumperz [1982] 2002. Pour la notion de « langue matrice », Myers-Scotton 2006*. Pour les concepts autour de l'alternance codique et de la copie, Gardner-Chloros 2009, Thomason 2001*. Pour une synthèse des concepts autour de la linguistique de contact, Matras 2009*, Hickey 2010*, Kriegel *et al.* 2015, Simonin & Wharton 2013*, et Gadet & Ludwig 2014*, ainsi que Johanson 2002, en particulier pour la notion de « copie ».

BIBLIOGRAPHIE FONDAMENTALE

CALVET L. -J. (1987) - *La guerre des langues et les politiques linguistiques*, Paris, Payot.

FERGUSON C. (1959) - « Diglossia », *Word*, n° 15, pp. 325-340.

FISHMAN J. (1967) - « Bilingualism with and without Diglossia, Diglossia with and without Bilingualism », *Journal of Social Issues*, n° 32, pp. 29-38.

GUMPERZ J. ([1982] 2002) - *Discourse Strategies*, Cambridge, University Press.

SOURCES LINGUISTIQUES ET LITTÉRAIRES

CHAMOISEAU P. (1997) - *Écrire en pays dominé*, Paris, Gallimard.

DERMARKAR C. & PFÄNDER S. (eds) (2010) - *Le français cosmopolite. Témoignages de la dynamique langagière dans l'espace urbain du Caire*, Berlin, Berliner Wissenschaftsverlag.

FRANCARD M. (1989) - *Ces Belges qui parlent français. Variétés linguistiques du français de Belgique*, Cassette vidéo + livret, Louvain-la-Neuve, Unité de linguistique française - CAV, Version revue en Compact Disk Video, 1997.

HAMPÂTÉ BÂ A. (1994) - *Oui mon commandant !* Mémoires II, Arles, Actes Sud, Éd. Babel.

KELKAR-STEPHAN L. (2005) - *Bonjour maa : The French-Tamil Language Contact Situation in India*, Aachen, Shaker.

MABANCKOU A. (2012) - *Le sanglot de l'homme noir*, Paris, Fayard.

McLAUGHLIN M. (2011) - *Syntactic Borrowing in Contemporary French*, London, Legenda.

POUR ALLER PLUS LOIN

GADET F. & VARRO G. (2006) - « Le 'scandale' du bilinguisme. Introduction », *Langage & Société*, n° 116, pp. 9-28.

GARDNER-CHLOROS P. (2009) - *Code-switching*, Cambridge, Cambridge University Press.

HAGÈGE C. (2000) - *Halte à la mort des langues*, Paris, Odile Jacob.

JOHANSON L. (2002) - « Contact-induced Change in a Code-Copying Framework », *Language Change. The Interplay of Internal, External and Extra-linguistic Factors* (M. Jones & E. Esch, eds), Berlin / New York, Mouton de Gruyter, pp. 285-313.

KRIEGEL S., LUDWIG R. & SALZMANN T. (2015) - « Reflections on Discourse Ecology and Language Contact : The Crucial Role of some Scalar Terms », *Linguistic Ecology and Language Contact* (R. Ludwig, P. Mühlhäusler & S. Pagel, eds), Cambridge, University Press.

TABOURET-KELLER A. (2006) - « À propos de la notion de diglossie. La malencontreuse opposition entre 'haute' et 'basse' : ses sources et ses effets », *Langage & Société*, n° 118, pp. 109-128.

SECONDE PARTIE

INTRODUCTION

Notre seconde partie présente des situations de français en contact : l'Amérique du nord (chapitre IV), l'Afrique (Afrique du nord et Afrique noire, chapitre V), les zones créolophones (chapitre VI). Pourtant, le principe de présentation n'est pas avant tout géographique, mais découle des types de langues en contact. Il procède aussi de ce que le français s'est répandu dans le monde en deux phases bien distinctes, que l'on désigne parfois comme premier et second empire colonial.

Le premier empire s'est constitué sur 3 siècles, entre le début du 16e siècle et la fin du 18e, et il concerne surtout l'Amérique (actuels États-Unis et Canada, Antilles, Guyane). Le second empire a surtout été constitué au 19e et au début du 20e, jusqu'à la guerre de 14 : il concerne l'Afrique et l'Indochine.

Le premier empire est, du moins à ses débuts, le fait de navigateurs et de commerçants, rarement de colons sauf en Nouvelle-France, immense territoire nord-américain conquis par la France, qui s'effondre après le traité d'Utrecht de 1713, puis le traité de Paris de 1763. Il ne s'agit pas d'une expansion concertée et soutenue par l'État français. Elle ne se limite pas à des comptoirs sur les côtes, il y a aussi peu à peu pénétration à l'intérieur des territoires de ce qui deviendra le Canada d'une part, les États-Unis de l'autre. C'est aussi lors de cette phase que la France prend possession de la Martinique et de la Guadeloupe, puis de la Guyane, qui sont aujourd'hui des départements français d'Outre-mer, ainsi que d'Haïti, devenu indépendant en 1804. Au cours de cette même période, les Français s'établissent au Sénégal, dans l'océan Indien (futurs Réunion, Maurice, Seychelles, Madagascar), et en Inde (les « comptoirs », dont les plus connus sont Pondichéry et Chandernagor).

Le second empire est plus clairement tourné vers la volonté de s'emparer de richesses, et en même temps appuyé sur des considérations politiques et géo-stratégiques de l'État français, parfois assorties d'idéologies civilisatrices, culturelles et/ou religieuses. L'Algérie est à la fois le point de départ (conquête en 1830, véritable colonie de peuplement) et le dernier maillon, puisque c'est son indépendance en 1962 qui sonne le glas de cet empire. Cette seconde vague d'expansion a concerné l'Afrique, l'océan Indien et l'Indochine (actuels Vietnam, Laos, Cambodge). En Afrique subsaharienne, la colonisation française croise la colonisation belge, ce qui aura pour effet de faire entrer trois autres pays dans la francophonie : la République Démocratique du Congo, le Burundi et le Rwanda.

Dans tous ces cas, le français va se trouver confronté à des langues autochtones dans des pays souvent très plurilingues, et parfois à une autre langue importée, surtout l'anglais mais aussi l'espagnol. Cette diversité des histoires et des écologies donne lieu à des situations de contact d'une grande diversité. La plupart des pays africains ont lors de leur indépendance adopté le français pour langue officielle (parfois co-officielle avec une langue africaine), et cette option politique n'est pas sans incidences sur les rapports entre les langues.

Chapitre IV

CONTACTS DU FRANÇAIS DANS SON EXPORTATION EN AMÉRIQUE DU NORD

Ce chapitre concerne les effets de l'exportation du français vers l'Amérique du nord (Canada et États-Unis), où il s'est trouvé confronté à la fois à des langues autochtones de types très différents du français, et à une autre langue elle aussi importée d'Europe, l'anglais, langue indo-européenne ayant des points communs avec le français mais relevant du groupe germanique, avec une forte composante lexicale latine. À l'heure actuelle, demeurent un tant soit peu concernées par la francophonie nord-américaine des aires du Canada et avant tout le Québec, mais aussi l'est (connu sous le nom géographique de Provinces-Maritimes, et le nom symbolique d'Acadie), ainsi que l'Ontario, et quelques aires de l'ouest canadien. Les États-Unis sont concernés dans une moindre mesure, avec la Nouvelle-Angleterre, la Louisiane et quelques isolats.

1. Aires francophones actuelles et fondements historiques

La fin du 15e siècle et surtout le 16e ont vu le début des contacts européens avec le continent américain, qu'un point de vue européo-centré nomme « découverte ». À partir du 16e siècle intervient une colonisation de peuplement, avec l'établissement de communautés qui donneront lieu à l'Amérique « française », pour laquelle les historiens retiennent comme dates fondatrices : 1604, fondation de l'Acadie, et 1608, fondation de la ville de Québec, concrétisant les débuts de la « Nouvelle-France ». Deux noms propres de Français balisent cette conquête, Jacques Cartier et Samuel de Champlain, navigateurs, explorateurs et cartographes. Mais aujourd'hui, seuls quelques toponymes d'origine française attestent encore hors des zones demeurées francophones du rôle historique qu'ont joué les Français, en particulier sur le territoire des États-Unis (Saint-Louis, Bâton Rouge, Des Moines...[1]).

Le nombre initial d'immigrants francophones vers l'Amérique a été modeste, mais le fort taux de natalité de ces populations généralement très catholiques a fourni les forces pour une dissémination du français. On parle ainsi au Québec de « revanche des berceaux », face à la conquête anglaise achevée à la fin du 18e siècle : jusqu'au milieu du 20e siècle, il n'était pas rare que les familles francophones aient une vingtaine d'enfants.

La diffusion historique du français en Amérique du nord a connu plusieurs modalités, la base étant l'émigration depuis la France ou la Belgique, avec deux principaux pôles d'installation : la vallée du Saint-Laurent et l'Acadie. La Nouvelle France a constitué une base pour la francophonie nord-américaine, à partir d'où se sont produits des essaimages de populations francophones vers les Grands Lacs et la vallée du Mississipi, ainsi que les expéditions de coureurs de bois, commerçants en fourrures, voyageurs et aventuriers. Des motivations à la fois politiques et économiques ont conduit à des diasporas massives.

Les causes politiques concernent les Acadiens, francophones initialement installés en Nouvelle-Ecosse, qui ont été chassés quand le territoire est passé sous domination britannique (1713). Ils ont été disséminés vers le Nouveau-Brunswick, les Îles de la Madeleine, la Nouvelle-Angleterre, l'Île du Prince Édouard, ainsi qu'en Louisiane où ils ont renforcé le premier peuplement francophone provenant de France. Les Acadiens nomment cette période de 1755 à 1763 le « Grand dérangement ».

Quant aux causes économiques, elles concernent la dissémination francophone vers la Nouvelle-Angleterre, qui a été le fait d'émigrés canadiens, en plusieurs vagues. Acadiens frontaliers à la fin du 18e siècle, Québécois au long du 19e lors de l'essor industriel de la région, puis les deux types de populations au 20e siècle, jusqu'à la grande dépression de 1929.

Il y a aussi quelques ***isolats***, le plus connu étant au Missouri, où seules des conditions d'isolement exceptionnelles ont permis une conservation prolongée du français (en particulier sur des bases religieuses) ; mais il en existe d'autres aux États-Unis, en Pennsylvanie et au Minnesota.

1. À condition que l'origine française soit encore perceptible. Ainsi, à Terre-Neuve, une *Anse aux meadows* était originellement *Anse aux méduses*.

Comme héritage de cette co-habitation linguistique, le français est avec l'anglais langue co-officielle au Canada. Mais tous les Canadiens ne sont pas bilingues, loin de là. Aux États-Unis en revanche, il ne bénéficie d'aucun statut officiel et ne se transmet à peu près plus dans les familles, même dans les quelques états où il a historiquement joué un rôle (les 6 États de la Nouvelle-Angleterre, la Louisiane, le Missouri). Il n'a de statut officiel local qu'en Louisiane, de fait plus symbolique que réel.

Les deux pays, Canada et États-Unis, ont vite divergé : aux États-Unis, le français est sauf exception peu présent dans la vie publique, et dépourvu de soutien institutionnel. Au Canada, la *Loi sur les langues officielles* (*Official Languages Act*, de 1969, renforcée en 1988) a contribué à stabiliser l'antagonisme linguistique, en fixant des droits aux minorités.

2. Un contact historique dominé : le français et les langues amérindiennes

Les Européens ne sont pas arrivés dans un désert linguistique : le français et l'anglais se sont trouvés confrontés à des langues autochtones, parlées par les populations présentes avant eux. Ces langues sont aujourd'hui en situation fragile, voire menacées, ayant été à la fois réprimées et peu protégées institutionnellement (toutefois, davantage au Canada qu'aux États-Unis).

Elles relèvent de plusieurs groupes linguistiques, la plus grande richesse se trouvant en Colombie-Britannique (ouest canadien), où le français est très peu présent. C'est au Québec qu'elles se sont le plus confrontées au français. 9 langues autochtones sont encore un peu parlées : abénaki, algonquin, attikamek, cri, inuktitut, micmac, mohawk, montagnais, naskapi. Ces contacts n'ont eu d'effet sur le français que par un apport lexical, d'ailleurs limité.

C'est dans les noms de lieux que l'on trouve le plus de traces de langues amérindiennes, comme *Canada* lui-même, et des noms de provinces canadiennes (*Québec, Saskatchewan, Manitoba, Ontario*), de régions, comme l'*Abitibi* au Québec, ou les *Adirondacks*, montagnes de l'État de New York rendues célèbres par *Le dernier des Mohicans* de Fenimore Cooper ; ou encore des noms de localités, comme *Chicoutimi*, *Manikouagan* au Québec, *Miramichi* ou *Kouchoubougouac* au Nouveau-Brunswick.

Pour le vocabulaire courant, les langues qui ont transmis quelques traces lexicales sporadiques au français sont le micmac, le cri, le huron (disparu au début du 20e siècle) et le montagnais. Il s'agit de quelques noms communs répandus dans le français du Canada, dont quelques-uns sont passés dans le français européen : *atoca* (« canneberge »), *caribou* (de l'algonquin, peut-être du micmac), *toboggan*, *mocassin*, *pécan*, ou *manitou*, qui proviennent de l'algonquin. Certains ont transité par l'anglais avant d'être exportés en Europe ; il y a aussi quelques noms de poissons.

Quant au bien connu *maringouin* (« moustique »), il provient du tupi-guarani du Brésil, et a été transporté dans différentes colonies françaises d'Amérique par des marins normands ; le terme est d'ailleurs demeuré en usage en Normandie. Le terme *tuque* (« bonnet »), qui provient de l'inuit, a été diffusé au-delà du Québec par le disque du groupe *Cowboys fringants*, « Attache ta tuque ».

Le contact du français avec une langue amérindienne de l'ouest canadien (le cri) a donné lieu à une langue mixte aujourdhui quasiment disparue, le mitchif, dont nous parlerons en partie 4.

De nos jours, des aménagements politiques et institutionnels tentent de préserver ce patrimoine de langues en voie de disparition (dites au Canada « langues des premières nations »), tenant compte de revendications linguistiques et culturelles des autochotones, Amérindiens et Inuits. Mais ces efforts ne rencontrent que des succès limités.

3. Contacts et compétition : les différentes formes du contact avec l'anglais

Les situations sont ici extrêmement diversifiées, et peuvent être regardées comme en continuum.

3.1. Le français face à l'anglais

La compétition entre le français et l'anglais a laissé place à une grande diversité d'écologies, avec des usages de français plus ou moins colorés d'anglais, et différents types d'hybridations. On distingue les différents français en fonction de leur degré d'anglicisation, qui touche le plus fréquemment le lexique, et parfois des éléments syntaxiques.

Une pleine vitalité du français ne se rencontre guère qu'au Québec – seule province canadienne officiellement francophone, et dans une moindre mesure au Nouveau-Brunswick, officiellement bilingue anglais-français. À l'opposé, et jusqu'à la quasi-obsolescence, le français est minoritaire, à des degrés divers, comme en Louisiane ou dans l'Acadie des Maritimes hors Nouveau-Brunswick. Plus le français est minoritaire, moins il est utilisé hors du cadre familial, et plus il risque d'être anglicisé, ce qui accentue encore l'insécurité des locuteurs en français. Dans beaucoup d'endroits s'est instauré un équilibre précaire entre la tendance à l'étiolement pour cause d'étroitesse du marché linguistique, et des revendications identitaires et patrimoniales.

Les francophones canadiens, bien conscients des possibles effets de la proximité des langues (proximité géographique et typologique), demeurent vigilants quant aux risques d'anglicisation (emprunts et calques), en particulier à travers des institutions et la législation. On en voit un effet sur le site du *Portail linguistique du Canada* qui offre, dans une rubrique « Jeux », une sous-rubrique « Anglicismes» où il est proposé d'identifier des calques, comme par exemple *jouer les seconds violons* (« *to play second fiddle* »), ou *en autant que je suis concerné* (« *insofar as I am concerned* »). C'est à des Canadiens (Québécois) que l'on doit la notion d'***aménagement linguistique***, mise au point d'abord dans la politique linguistique régissant les rapports entre les langues du Canada, qui a débouché sur la *Loi sur les langues officielles*. Celle-ci garantit aux citoyens des services dans la langue de leur choix dans les organismes gouvernementaux. Elle a été suivie de la *Charte canadienne des droits et libertés* de 1982, qui garantit en particulier des droits scolaires.

Il y a beaucoup de ressemblances entre les différents français nord-américains, au-delà des propriétés partagées de la communication orale ordinaire. Il y a une quasi-similitude au plan morpho-syntaxique, les lexiques montrant quelques spécificités, et les accents demeurant assez identifiables. Ainsi, par exemple, il n'y a qu'au Québec qu'apparaissent des consonnes affriquées, [t] et [d] devant voyelles d'avant : *tu dis* est prononcé [tsydzi]. Finalement, c'est le degré d'anglicisation qui constitue le facteur le plus différenciateur, seuls les francophones de variétés très minorées recourant souvent à des marqueurs de discours anglais, comme *but* ou *so*. De même, il n'y a qu'à des utilisateurs occasionnels du français (***sous-utilisateurs***, comme en Louisiane) qu'il peut arriver de ne pas conjuguer des verbes, ni à l'anglaise ni à la française (*j'ai drive* – et non *drivé*, *drived*, ou *drove*), de façon identique à toutes les personnes.

3.2. Le Québec, une anglicisation maîtrisée

Le Québec est la seule des provinces canadiennes où le français est non seulement largement majoritaire (langue première d'un peu plus de 80 %

de la population), mais aussi la seule langue officielle. L'histoire du Québec peut d'ailleurs être vue comme une longue résistance pour le maintien du français, où le catholicisme a joué un rôle déterminant. En conséquence des guerres et luttes d'influence qui se jouaient en Europe, le pouvoir politique est passé entièrement aux mains des Anglais lors du traité de Paris de 1763. L'anglais a gardé une position privilégiée jusqu'au mouvement pacifique de la « Révolution Tranquille » des années 1960, où l'État québécois a mis en place la séparation de l'église catholique et de l'état, et adopté une identité collective résolument francophone.

Le français jouit d'un statut dominant après la promulgation de la Loi 101 (ou *Charte de la langue française*, du 26 aout 1977), qui fait du français la seule langue officielle du Québec et légifère sur les rapports entre les deux langues dans l'espace public, à l'écrit d'affichage, dans le système scolaire, les organismes officiels et les entreprises. Une assez forte minorité anglophone (entre 15 et 20 %) est surtout présente dans certains quartiers de Montréal, alors que des régions comme l'Abitibi, la côte nord du Saint-Laurent, ou les Îles de la Madeleine dans l'estuaire du Saint-Laurent voient très peu de présence de l'anglais.

Parmi les 5 types de termes caractéristiques du lexique québécois (archaïsmes, dialectalismes, amérindianismes, anglicismes, innovations), deux concernent le contact. Un discours déjà ancien, fait de lamentations et de dénigrements sur la façon de parler des Québécois, a redoublé à partir des années 60, comme effet de la venue du français sur le devant de la scène. Il se concrétise dans la question de la « qualité de la langue », face à une langue orale regardée comme peu contrôlée, peu nuancée, et dans les quartiers bilingues, assez anglicisée.

La complainte du français mal parlé au Québec

Parmi les nombreux pamphlets, celui de Georges Dor (1996), *Anna braillé ène shot* (« elle a beaucoup pleuré »), fustige la qualité de la langue ordinaire des Québécois : prononciation relâchée, syntaxe peu élaborée, dit-il. Curieusement, le pamphlet n'épingle pas les anglicismes en tant que tels, bien que certains des exemples critiqués dans le texte soient de fait des calques. Il est aussi possible que ces calques soient visés par le terme récurrent de « langue bâtarde », comme dans l'exemple *seules les urgences seront répondues en fin de semaine* (p. 21) – ainsi que *shot* dans le titre. Mais ce ne sont pas chez lui les exemples les plus nombreux.

Les rapports entre français et anglais sont désormais moins conflictuels – aussi parce que ceux des Montréalais anglophones qui étaient les plus réticents au français ont quitté le Québec, surtout pour l'Ontario. Aussi l'époque est-elle révolue où Michèle Lalonde pouvait écrire son célèbre poème de 1968, « Speak White »[2], reprenant une insulte classique envers ceux qui parlaient en public une langue autre que l'anglais, mêlant ainsi francophones et « allophones ». Désormais, les jeunes Québécois, anglophones comme francophones, sont plus souvent bilingues qu'auparavant.

Le « français standard d'ici » (aujourd'hui « français standard en usage au Québec »), la langue publique qui s'entend à la radio ou se lit dans la meilleure presse, veille à éviter les anglicismes. C'est le cas dans les affichages : *arrêt* et non *stop* sur les panneaux routiers, par exemple. Mais les façons ordinaires de parler, surtout à Montréal, retiennent quelques termes anglais, davantage chez les locuteurs de classes sociales modestes, par exemple dans ce qui a été nommé « joual », terme vague désignant la langue ordinaire de certains quartiers de Montréal, plus ou moins anglicisée, illustrée dans les années 70 dans des écrits littéraires comme ceux de Michel Tremblay ou des chansons comme celles de Robert Charlebois.

Les termes empruntés à l'anglais peuvent correspondre à des réalités qui n'existent pas ou ne se désignent pas en français d'Europe (comme la *sloche*, « neige fondue teintée de boue ») – mais les emprunts vont au-delà (*avoir du fun*, « s'amuser », qui s'est largement diffusé en France). Ils ont parfois donné lieu à des francisations inattendues, dont les *hotdogs* devenus *chiens chauds* peuvent être regardés comme caricaturaux, et surtout datés. Ils ont plus tardivement aussi donné lieu à des innovations bienvenues pour éviter un terme anglais, comme *courriel* (et non *mail* ou *email)*, dont l'usage s'est répandu même en Europe.

Emprunts et calques de l'anglais

Au hasard de promenades dans les rues de villes ou de quartiers francophones, on croise surtout des calques, comme sur l'enseigne d'un restaurant de Québec, l'une des villes les plus francophones, qui affiche la promesse d'une *cuisine distinctive*. Certains calques sont lexicalisés, comme *magasiner* et *magasinage*, de l'anglais *« to shop »* et *« shopping »*, ou *tomber en amour* (*« to fall in love »*). D'autres se répandent, comme *graduer* pour « obtenir un

>>

2. On le trouve sur internet dans une version dite par le poète Gaston Miron.

>>
diplôme » (« *to graduate* »), ou *retirer*, « prendre sa retraite » (« *to retire* »).

Les mots empruntés à l'anglais conservent souvent une prononciation anglicisée, comme pour le nom du groupe de chanteurs les *Cowboys fringants*, qui se prononce [kaobɔjz] au Québec. Il y a quelques exceptions pour des emprunts anciens, comme *caller*, « appeler », de « *to call* », souvent prononcé [kale].

Le genre n'est pas toujours prévisible : *une smoke, une drink, une job, une gang, un party*..., le même choix étant fait en Acadie, à l'encontre de la pratique française quand ont été adoptés les mêmes mots.

Il serait peu probable d'observer encore de nos jours cette anecdote paraît-il authentique, qui remonte à l'époque de l'arrivée au pouvoir du parti québécois (1976), ressentie par beaucoup d'anglophones comme allant contraindre à un usage exclusif du français : un panneau *la délivrance se fait par le derrière*, devant une maison d'un quartier anglophone de Montréal (« *Delivery at the rear* »).

Le français au Québec est régulé par l'*Office québécois de la langue française*, créé en 1961. Depuis une vingtaine d'années sont parus plusieurs dictionnaires québécois : les lexicographes ont eu à se soucier du traitement à réserver aux termes venus de l'anglais. Une distinction traditionnelle est faite entre emprunts « critiqués » (avec ou sans équivalent français), emprunts seulement critiqués par les plus normatifs, et emprunts généralement acceptés (distinguant selon qu'ils sont acceptés au Québec, en France, ou dans les deux endroits). Le projet FRANQUS (FRANçais Québécois Usage Standard) a abouti à *Usito*, le tout récent dictionnaire électronique issu de la banque de données textuelles de Sherbrooke, qui informe le lecteur quant au statut du mot. Il indique ainsi comme « critiqués au Québec et en France » des termes comme *boycott* ou *overdose*, avec une mention comme « L'emploi de *scoop* est critiqué comme synonyme non standard de *exclusivité, primeur* ».

Les emprunts les plus nombreux sont des « anglicismes sémantiques » : la mention « anglicisme critiqué » figure alors en fin d'article (ex. *alternative* vs *choix, possibilité*). Figurent aussi dans cette rubrique des expressions comme *mettre l'épaule à la roue* (« *to put one's shoulder to the wheel* ») donné comme « synonyme non standard » de *mettre la main à la pâte*.

3.3. Les autres espaces francophones, peu à peu grignotés par l'anglais

Partout ailleurs qu'au Québec, la confrontation entre l'anglais et le français en Amérique du nord est défavorable à ce dernier. En dehors de l'Acadie du Nouveau-Brunswick (qui comporte 32,6 % de francophones), les provinces canadiennes ont désormais des taux très faibles de francophones (en dessous de la viabilité), qui continuent de diminuer devant une assimilation sans doute inéluctable[3] : l'Ontario (franco-ontariens : 4,7 %), le Manitoba (franco-manitobains : 4,5 %), l'Île du Prince Édouard (4,3 %), la Nouvelle-Écosse (3,8 %), l'Alberta (franco-albertains : 2,1 %), la Saskatchewan (fransaskois : 2 %), Terre-Neuve (0,4 %)[4]. Il en va de même pour les états américains, en Louisiane, en Nouvelle-Angleterre (franco-américains, ou francos), et dans les isolats ; mais l'évaluation est toujours difficile à établir pour les États-Unis. Ces différentes aires ont des histoires différentes, et elles ont aujourd'hui des écologies spécifiques, se distinguant en particulier par la densité des contacts et par le degré d'insécurité en français. Mais il n'y a guère qu'au Nouveau-Brunswick qu'il se peut que le français se maintienne à terme, compte tenu des effets, qui ne vont d'ailleurs pas tous dans la même direction, de la législation, de l'immigration, et de facteurs économiques (les besoins de la « nouvelle économie »).

Le Nouveau-Brunswick est la seule province canadienne officiellement bilingue, depuis 1969. Le français y est minoritaire, avec de fortes disparités selon les aires, mais en général la situation demeure conflictuelle dans les régions bilingues relativement équilibrées. La région de Caraquet et du sud de la Baie des Chaleurs est francophone à 90 %, et ne connait pas d'insécurité linguistique. La région du grand Moncton (sud-est) se rapproche du pourcentage global de la province (34 %), mais il s'y manifeste une véritable dynamique francophone, en particulier à la suite de l'établissement en 1963 d'une université francophone, l'Université de Moncton. Cette dynamique est accentuée par une économie de service favorable au bilinguisme, où les francophones ont l'avantage d'être plus souvent bilingues, ce qui est souhaité par exemple pour les centres d'appel.

Le français sur le territoire du Nouveau-Brunswick revêt des formes très

---

3. Le taux « d'usage réel » du français est encore plus faible, car les chiffres donnés ici sont ceux de déclaration d'usagers qui se disent « de langue maternelle française » lors des recensements.

4. À l'exception du petit archipel français insulaire limitrophe, Saint-Pierre-et-Miquelon (dans les 6 000 habitants).

diverses, intriquant différentes variétés allant de l'acadien traditionnel (le plus conservateur) jusqu'au chiac fortement anglicisé, dont on reparlera plus loin. Et il existe toute une gamme de formes intermédiaires.

Repas de famille à Moncton
Ses cheveux étaient actually right bien faiT. Elle a pris comme une couronne puis elle a tressé de la laine avec comme des beadS dedans fait-que ça faisait comme des gros dreadS comme fuzzy (14)
Il est smart sauf que il est pas il est pas du genre de monde qui est tellement smart qui sont socially awkward puis genre le nerdy (175)

[CIEL_F Acadie, Enregistrement et transcription de Julie Cormier, sous la responsabilité d'Annette Boudreau]

Commentaire : ici, il s'agit d'un usage ordinaire, de francophones de différents âges. Selon les conventions de transcription, une consonne finale prononcée est notée en capitale (prononciation du s final de *dreads,* par exemple).

Les deux autres régions historiquement acadiennes, la Nouvelle-Écosse et l'Île du Prince Édouard, manifestent des situations nettement moins favorables pour le français. La Nouvelle-Écosse constitue un cas intermédiaire vers l'obsolescence et l'anglicisation. Sur l'ensemble de la province en effet, le français est largement minoritaire (3,8 %), mais quelques zones comme la Baie Sainte-Marie, berceau historique de l'Acadie, ont conservé une forme archaïque de français appelé « acadjonne » – à ne pas confondre avec le chiac[5]. Il y a à la Baie depuis la fin du 19e siècle une petite université francophone, l'Université Sainte-Anne, et la radio communautaire constitue un lien entre des francophones souvent physiquement dispersés.

Émissions de radio en Nouvelle-Écosse
ça c'est about le plus' grous problème que moi j'ai iu (Emission 1)
ça veut point dire qu'i faut que tu gives up (Emission 1)
i feelont point si tant involved / of course (Emission 1 = « ils ne se sentent pas si concernés »)
h'avions une jeune femme qui callait back tout le monde (Emission 6)

>>

5. Voir le site de *Radio Radio*, groupe de chanteurs acadiens très connus dans tout le Canada, originaires de Nouvelle-Écosse, qui revendiquent une expression ordinaire en acadjonne et passent aisément à l'anglais et au français international.

>>
à cause que c'est appartenu par une femme (Emission 6)
ouais and then / si somebody neede d'aller à Halifax / qu'i needont which je sons wellment plus cheap que use an ambulance (Emission 22, la plus anglicisée de tout le corpus = « je suis vraiment moins cher qu'une ambulance »)

[corpus de Cristina Petras, Radio communautaire CIFA]

Commentaire : ces exemples sont des propos tenus par des invités, illustrant la gamme des façons de parler dans la communauté. Tous ces exemples ont pour base des structures syntaxiques françaises (voir en particulier les conjugaisons, et l'ordre des mots). On y rencontre des phénomènes attendus : mots anglais, formes conjuguées de verbes à particule (*callait back*, *tu gives up*), calques (*c'est appartenu par une femme – « it is owned by a woman »*).

La prononciation est conservatrice, avec des formes qui existaient en France au 17e et 18e siècle, mais ont disparu partout ailleurs (*grous, iu*). Les *h* représentent graphiquement une prononciation locale du *j* (ainsi, *h'avons* est à comprendre comme *j'ai*, selon la conjugaison acadienne traditionnelle). On observe en particulier des emprunts pour les articulateurs d'énoncés, comme *so*, *but* ou *well*, parmi les mots anglais les plus fréquents et signes d'une anglicisation avancée.

Toutefois, on a ici opéré une sélection des séquences selon leur degré d'anglicisation, et il y a un risque d'avoir ainsi produit un effet de loupe par condensation.

Aux États-Unis, des aires jadis totalement ou largement francophones, comme la Nouvelle-Angleterre et la Louisiane, ont vu l'anglicisation progresser davantage, souvent à la suite de mutations économiques.

En Nouvelle-Angleterre, les francophones sont disséminés sur 6 États et le français ne jouit pas du soutien institutionnel qui existe au Canada. La seule exception est la zone du Maine frontalière du Québec et du Nouveau-Brunswick, qui reçoit en particulier des radios canadiennes, et dispose aussi de ses propres radios communautaires. Ce sont traditionnellement les réseaux sociaux du catholicisme et les écoles paroissiales qui ont permis une conservation prolongée du français – mais ces relais sont désormais affaiblis devant la généralisation d'un mode de vie américanisé. Aujourd'hui, la plupart des francophones sont âgés : d'une part ils n'ont pas un usage quotidien du français, excepté entre eux, et leur français est ainsi réceptif aux anglicismes ; d'autre part, la langue ne se transmet plus guère dans la famille.

Exemples concernant le Massachussets

même i y a/ i y a un magasin ici. un magasin elle m'a parlé de. um. un magasin ici. um à Manchester qui vend des cartes en français (p. 257)
le gouvernement était constraint de donner la personne la citoyenneté canadienne (p. 259)
i ont mis elle avec des bons Anglais (p. 261)

[Thèse d'Edith Szlezak, chapitre sur les calques]

Commentaire : la transcription respecte celle de l'auteur. Nous n'avons ici retenu que des exemples ne pouvant pas être interprétés comme montrant des phénomènes internes au français, que l'on trouverait aussi dans d'autres variétés de français. Tel est le cas de *un magasin elle m'a parlé de, donner quelqu'un quelque chose*, et aussi de la postposition du clitique (*ils ont mis elle*).

Quant à la Louisiane, sa situation linguistique est particulièrement complexe, car elle a depuis longtemps constitué un carrefour de langues : à côté de l'anglais, aujourd'hui hyper-dominant, s'y sont historiquement croisées plusieurs variétés de français, des restes d'espagnol, à quoi s'est ajouté un créole à base française, aujourd'hui surtout un souvenir historique. La Louisiane avait été occupée par les Français à la fin du 17e siècle, qui ont importé des esclaves africains pendant la première moitié du siècle suivant. Et l'émergence d'un créole à base française est attestée dès les années 1750. Fortement concurrencé par l'anglais pour l'usage ordinaire, le créole louisianais est encore parlé dans quelques localités rurales, mais il ne concerne plus que quelques milliers de locuteurs, bilingues et généralement d'âge avancé.

Malgré les efforts institutionnels d'un organisme comme le CODOFIL (« Conseil pour le Développement du Français en Louisiane »... mais en anglais : « COuncil for the Developemnt Of French In Louisiana), qui est parvenu à faire reconnaître un statut au français, et malgré un célèbre chanteur qui chante souvent en français, Zachary Richard, le maintien de cette langue en Louisiane apparaît peu probable, en tous cas pour un usage courant de la langue, et surtout pour la transmission aux nouvelles générations.

4. Des effets linguistiques de contacts intensifs

En situation de contacts intenses, notamment au sein de groupes de locuteurs fonctionnant en réseau serré, certaines formes de parlers hybrides peuvent émerger, comme cela a été le cas en Amérique du nord pour le mitchif et le chiac, qui n'ont pas évolué au même point sur une échelle de conventionnalisation.

4.1. Le mitchif, un parler hybride devenu langue

Au 16e siècle, les colons français et anglais se sont trouvés en présence de locuteurs de langues amérindiennes. Celles-ci n'ont laissé que peu de traces dans le français commun – pas plus que dans l'anglais commun, même sans doute moins pour l'anglais, du fait que les rapports des Français avec les Amérindiens ont été de meilleure qualité. Mais le contact avec au moins une langue amérindienne (le cri) a donné lieu à l'émergence d'une langue mixte, le mitchif (*michif* en anglais).

Le mitchif a été développé par des Indiens Métis, bilingues, à partir du début du 19e siècle ; ils étaient en général issus d'unions entre des Français engagés pour la traite des fourrures et de femmes amérindiennes. On peut parler ici de *langue* hybride, à la fois parce qu'il s'agit d'un système linguistique plus ou moins conventionnalisé, et parce que le mitchif a joué un rôle dans la constitution d'une nouvelle communauté, revendiquant fortement son identité.

Cette langue est constituée sur la base de français et de cri, langue amérindienne du groupe algonquin parlée dans les plaines du Manitoba, de la Saskatchewan et de l'Alberta, ainsi qu'au Dakota du nord aux États-Unis. Le cri étant une langue de type agglutinant, les groupes verbaux du mitchif proviennent presque entièrement de cette langue, au contraire des groupes nominaux, qui montrent plutôt des caractéristiques du français. Mais l'ensemble apparaît plutôt marqué par le cri que par le français. Comme il s'agit de domaines structurels entiers (lexique d'une langue, grammaire verbale de l'autre), le michif remplit les critères pour être qualifié de « langue mixte ».

Robert Papen expose un exemple canonique de mitchif

Naash	*-ik*	lii	raji	daa	li	zharden	*uschi*
aller-chercher	IMP	ADP	radis	LOC	ADMS	jardin	hors de

Traduction : *Vas chercher des radis dans le jardin* [2005, p. 328]

Commentaire : cet exemple illustre la différence de sensibilité à l'autre langue selon qu'on est dans le groupe verbal ou nominal. Les termes en italiques proviennent du cri, ceux en droit du français. Abréviations : IMP = impératif, ADP = adposition, LOC = locatif, ADMS = Article Défini Masculin Singulier.

Le mitchif est aujourd'hui très peu parlé, par une petite centaine de locuteurs par ailleurs anglophones (certains, peu nombreux et âgés, ayant aussi quelques connaissances du français, rarement du cri). Cependant, il fait (encore) partie du paysage linguistique canadien, sans doute pour peu de temps, et il a joué un rôle dans la constitution d'une identité métisse, peuple qui a été reconnu en 1982 par la Constitution du Canada comme l'un des trois « peuples autochtones canadiens ».

4.2. Le chiac, un parler hybride en pleine vitalité en Acadie du Nouveau-Brunswick

Le Nouveau-Brunswick comporte des zones à dominante anglophone, mais avec une forte minorité francophone, socialement active et en général bilingue : on peut parler de bi-culturalisme. Tel est le cas dans la région du grand Moncton (grande ville au sud-est de la province), où l'anglais domine à 60 ou 70 %. Vers le début des années 60[6] est apparue chez des jeunes de cette région une façon de parler que l'on désigne sous le nom de chiac, terme aux origines incertaines, celles qui sont proposées étant toutes peu convaincantes. Le recul qu'offre une cinquantaine d'années d'existence du chiac permet de faire état d'une évolution. Le succès rapide de cette façon de parler a donné lieu à de vives polémiques, en particulier dans le cadre du système éducatif – comme le montre par exemple le film *L'éloge du chiac*, documentaire de Michel Brault (1969) dans lequel des élèves discutent librement de leur rapport à ce qu'ils appellent leurs « trois langues » (français, anglais, chiac).

6. Le terme est attesté à l'écrit depuis 1963, mais le « mélange » (comme disent les Acadiens) existait bien avant de connaître un nom stabilisé.

Le chiac est un parler dont les bases syntaxique et morphologique sont le français, et une partie du vocabulaire provient de l'anglais, de façon variable selon le locuteur. Comme pour tous les vernaculaires de jeunes, c'est un parler instable, fluide, qui s'est déjà beaucoup transformé depuis les premières notations, comme le montre par exemple l'évolution diachronique entre les formes *revenir, revenir back, back venir*.

Exemple de chiac

non / *but* je crois que c'est *back* supposé venir *on* là comme au mois de septembre *but* c'est comme le deuxième livre là / y a deux livres / *but* oh j'aurais assez aimé ça là / pi moi des *shows* de même qui sont *about* le vieux temps ou des / *anything about* le vieux temps j'aime assez ça / moi ça oh / j'aime *right* ça là (2005, p. 325)

[Corpus de Marie-Ève Perrot, Moncton 1991 – voir Perrot 2005]

Commentaire : la mise en italiques des termes anglais est une convention de transcription de l'auteur. Celle-ci a collecté en 2001 un nouveau corpus dans des conditions les plus similaires possibles, auprès du même type de locuteurs. Dans son article de 2005, elle fait le constat que l'anglicisation a un peu reculé, quand l'affirmation identitaire des jeunes à propos du chiac a au contraire progressé.

Le chiac a été popularisé par une bande dessinée de Dano LeBlanc. Le personnage principal de cette BD est désormais connu dans tout le monde francophone, grâce au dessin animé qui en a été tiré, qui est largement diffusé sur des chaînes de télévision : il s'agit d'*Acadieman*, « le first superhero acadien » (voir *http://www.acadieman.com/index.php/acadieman/les-personnages.html*). Le chiac a aussi beaucoup été mis à contribution par des artistes de différentes spécialités.

Une chanson en chiac : « À Moncton » (premier couplet)

Gisèle j'te callais yenque de même
À cause qu'c'est boring à soir
Pis qu'y a rien qui va on
À Moncton
C'est weird pareil pour un samedi soir
À Moncton
Gisèle j'te callais yenque de même

>>

>>
I hope j'te bother pas
I guess que j'faisais rien
J'avais des histoires à t'conter
J'ai coaxé Mike at least trois fois
Pour qu'il vienne watcher un movie avec moi
But y veut rien savoir

[Chanson de Marie-Jo Thério : la chanson en entier se trouve sur internet]

Commentaire : on observe ici à la fois des canadianismes traditionnels, à tort souvent dits québécois : *yenque* (*« rien que »*), *à soir* (*« ce soir »*), *de même* (*« comme ça »*) ; des mots anglais : *call, boring, weird, hope, but…*, dont des verbes conjugués à la française (*je te callais, j'ai coaxé*) ; des formes françaises conservatrices, comme *conter* ; et aussi des formes créatives comme *y a rien qui va on*, qu'il faut interpréter en regard de *« nothing is going on »*. Il est impossible de savoir si l'absence de *que* dans *I hope j'te bother pas* est une influence de l'anglais (omission de *that*) ou un trait de syntaxe de français parlé ordinaire.

Le chiac, peu conventionnalisé, se renouvelle très vite (ce qui ne signifie pas qu'il n'obéit pas à des règles), et laisse place à beaucoup de variabilité individuelle. Des exemples comme le texte d'*Acadieman* ou la chanson *À Moncton* sont des œuvres artistiques qui peuvent tout s'autoriser, comme accentuer des traits linguistiques ; toutefois, la confrontation de ces œuvres au corpus de Perrot montre des tendances similaires.

Les locuteurs faisant usage de codes hybrides ont souvent une perception négative de leur parler (qui n'est pas incompatible avec une revendication identitaire). Mais les avenirs prévisibles pour le chiac et pour le mitchif les font différer radicalement : le mitchif est en passe de s'éteindre, alors que le chiac est en pleine vitalité, permettant à de jeunes bilingues d'afficher une identité bi-culturelle (surtout dans les échanges entre pairs).

L'histoire a gardé le souvenir d'un autre parler hybride comportant du français, le *chinook*, désormais disparu, qui a été en usage dans l'ouest canadien et américain (de l'Alaska à l'Oregon), pour le contact entre populations amérindiennes et commerçants en fourrures.

Conclusion

L'Amérique du nord « francophone » constitue l'un des rares cas historiques d'exportation massive du français par une colonisation de peuplement. Elle offre une grande diversité de situations, de la pleine vitalité à des processus d'étiolement, parfois fort avancés.

Comme partout dans le monde, l'écologie des grandes villes canadiennes se complexifie aujourd'hui avec de nouveaux contacts consécutifs à des migrations provenant du monde entier. Désormais, le face-à-face du français et de l'anglais évolue, en particulier à Montréal, métropole cosmopolite et multiculturelle où convergent des migrants porteurs de toutes sortes de langues ; et même dans de grandes villes seulement partiellement francophones, comme Moncton. Ceux qu'on appelait traditionnellement « allophones », désormais très nombreux, s'intègrent vite à l'une des deux communautés. Des effets de contact instables et transitoires laissent place à de nouvelles pratiques langagières, sur lesquelles nous reviendrons en conclusion générale à propos des contacts migratoires en contexte urbain.

Les écologies nord-américaines permettent d'illustrer, avec le Canada, les pouvoirs et les limites de l'aménagement linguistique et de la législation en matière de langue(s). C'est au Canada qu'ont été mises au point, pour l'enseignement, les méthodes d'apprentissage en ***immersion*** (enseignement de toutes les matières dans l'autre langue) ; et, pour la gestion des langues de l'immigration, la notion de ***multiculturalisme politique.***

REPÈRES POUR LES RÉFÉRENCES

Pour les situations écologiques en Amérique du nord et les caractéristiques des différents français nord-américains, Valdman *et al.* (2005), avec des chapitres thématiques par zone : voir en particulier les articles de Auger sur le Québec, L. Dubois sur l'Acadie, 4 articles sur la Louisiane (Picone & Valdman, Rottet, S. Dubois, Klingler), et Valdman sur les isolats. Brasseur & Falkert 2005, Chaudenson *et al.* 1993* pour les traits linguistiques, Gadet & Martineau 2012 pour une comparaison entre variétés nord-américaines.

Pour le Québec, Bouchard 1999, et le dictionnaire FRANQUS-Usito, présenté par Cajolet-Laganière & d'Amico 2014 ; Maurais 1992 pour les langues autochtones. Neumann-Holzschuh 2009 pour la Louisiane. Le corpus québécois CFPQ est accessible en ligne. Le projet (en cours) *Le Français à la mesure d'un continent* pour les corpus de français en Amérique du nord (FRAN). Papen 2005 pour le mitchif, Perrot 2005 pour le chiac.

BIBLIOGRAPHIE FONDAMENTALE

BRASSEUR P. & FALKERT A. (eds) (2005) - *Français d'Amérique : approches morpho-syntaxiques*, Paris, L'Harmattan.

Le français à la mesure d'un continent, www.continent.uottawa.ca.

GADET F. & MARTINEAU F. (2012) - « Le français panfrancophone saisi à travers un maillage de réseaux », *Cahiers de linguistique*, n° 38:2, pp. 63-88.

VALDMAN A., AUGER J., & PISTON-HATLEN D. (eds) (2005) - *Le français en Amérique du Nord. État présent*, Québec, Presses de l'Université Laval.

SOURCES LINGUISTIQUES ET LITTÉRAIRES

CFPQ http://pages.usherbrooke.ca/cfpq/index.php

DOR G. (1996) - *Anna braillé ène shot (Elle a beaucoup pleuré). Essai sur le français parlé des Québécois*, Montréal, Michel Brûlé.

FRANQUS, http://franqus.usherbrooke.ca/

PETRAS C. A. (2008) - *Les emprunts et la dynamique linguistique*, thèse de doctorat, Université d'Avignon / Université Alexandru Ioan Cuza, Iaşi.

SZLEZAK E. (2007) - *« La langue elle part avec les gens ». Franco-Americans in Massachussetts*, thèse de doctorat, Université de Regensburg.

Usito (2013) - *Dictionnaire général de la langue française* (H. Cajolet-Laganière, P. Martel & C.-É. Masson, avec le concours de L. Mercier, eds), Éditions Delisme, usito.com.

SI L'ON VEUT ALLER PLUS LOIN

BOUCHARD C. (1999) - *On n'emprunte qu'aux riches ; la valeur sociologique et symbolique des emprunts*, Montréal, Fides, coll. Grandes conférences.

CAJOLET-LAGANIÈRE H. & D'AMICO S. (2014) - « Le traitement des emprunts critiqués à l'anglais dans le Dictionnaire de la langue française – Le français vu du Québec (FVQ) », *Les français d'ici : du discours d'autorité à la description des normes et des usages* (W. Remysen, ed), Québec, Presses de l'Université Laval, Les voies du français.

MAURAIS J. (1992) - *Les langues autochtones du Québec*, Québec, Conseil de la langue française.

NEUMANN-HOLZSCHUH I. (2009) - « Contact Induced Structural Change in Acadian and Louisiana French. Mechanisms and Motivations », *Langage & Société*, n° 129, pp. 47-68.

PAPEN R. (2005) - « Le mitchif : langue franco-crie des plaines », *Le français en Amérique du Nord. État présent* (Valdman A. *et al.*, eds), Québec, Presses de l'Université Laval, pp. 327-347.

PERROT M.-È. (2005) - « Le chiac de Moncton : description synchronique et tendances évolutives », *Le français en Amérique du Nord. État présent* (Valdman A. *et al.* eds), Québec, Presses de l'Université Laval, pp. 307-326.

Chapitre V

LE FRANÇAIS EN CONTACT AVEC DES LANGUES NON INDO-EUROPÉENNES

Bien avant les colonisations européennes de l'Amérique et de l'Afrique, des déplacements de personnes ou de groupes se produisaient, qui ont eu pour contrepartie des circulations linguistiques. L'effet pour le français est l'acquisition de mots autochtones en même temps que de produits. Ces mots ont souvent été transmis à travers des langues qui ont servi de « pont » en direction de l'Europe et de la France, comme l'arabe du Maghreb pour des mots venus du turc ou du persan (ce dernier étant une langue indo-européenne). À partir du 16e siècle, la colonisation sous ses différentes formes aura pour effets linguistiques des échanges bi-directionnels, le français fournissant et recevant.

1. Le français langue seconde, en contact avec des langues autochtones

La colonisation française est loin d'avoir atteint l'ampleur de l'empire britannique, mais elle a concerné de nombreux territoires autour du globe, laissant en héritage des écologies linguistiques diversifiées impliquant le français, à des degrés divers.

Cette langue s'est ainsi trouvée en situation de se juxtaposer à travers le monde à un grand nombre de langues, de types très divers. La gamme des contacts entre français et langues non indo-européennes est large : arabe au Maghreb, à Djibouti, en Mauritanie et au Tchad, langues africaines en Afrique noire, malgache et comorien dans des îles de l'océan Indien, langues kanaks en Nouvelle-Calédonie, tamoul à Pondichéry, langues austronésiennes en Polynésie, langues asiatiques en Extrême-Orient... Étant donné les différences des histoires et les différentes formes de contact en cause, les écologies concernées sont elles aussi très diversifiées.

Il n'est pas question ici de prétendre à un inventaire exhaustif de la francophonie en contact avec des langues non indo-européennes ; nous ne traiterons que quelques exemples concernant le Maghreb et l'Afrique noire, retenus pour la diversité de leur intérêt écolinguistique. Nous commencerons par souligner les ressemblances et les différences entre les deux entités.

La politique historiquement mise en œuvre par la France dans ces pays colonisés a été calquée sur celle qui avait été appliquée en France. Le français y est la seule langue en vigueur, imposé dans l'administration comme pour l'enseignement, et les langues locales ont partout été traitées comme l'ont été les langues régionales et les patois en France[1]. L'objectif du colonisateur français a été l'assimilation, qui est passée par exemple en Afrique de l'ouest par « l'École des otages », cherchant à franciser des fils de chefs en les éduquant hors de leur milieu. Quant à la Belgique (colonisatrice de ce qui est devenu la République Démocratique du Congo, le Burundi et le Rwanda), au-delà du conflit entre français et flamand qui a bénéficié aux langues locales, elle a délégué l'enseignement à des missionnaires, qui ont pris appui sur les langues autochtones. D'où deux modes de scolarisation. Pour les Belges, l'enseignement en français n'intervient qu'à un stade avancé, alors que chez les Français, c'est le français pour tous, au prix fréquent de l'échec de toute transmission de savoir, et l'aboutissement dans une large gamme de compétences, allant de quelques bribes à une maîtrise parfaite.

Un paradoxe contraste Afrique noire et Maghreb aujourd'hui : les pays africains ont le français pour langue officielle (tous les pays anciennement colonisés par la France ont retenu ce choix – parfois langue co-officielle) mais connaissent un nombre de francophones allant de moyen à faible (entre 44 % et 5 %, compte tenu de la difficulté à établir le degré de maîtrise du français, et très peu de locuteurs étant natifs). Au contraire, aucun des pays du Maghreb n'a le français pour langue officielle, alors même qu'ils connaissent un nombre plus élevé (parfois nettement plus, comme en Algérie) de locuteurs du français.

1. Des récits relatent l'acculturation d'enfants soumis à une éducation en français. Par exemple, pour le Mali, l'autobiographie d'Amadou Hampâté Bâ, qui était né en 1900 ; ou le roman de Fouad Laroui (2010), censé se passer en 1969, dans lequel un petit montagnard marocain entre en sixième comme boursier au lycée français de Casablanca.

Un autre facteur d'opposition entre les situations linguistiques du Maghreb et des pays francophones d'Afrique noire est le morcellement linguistique de la plupart des pays d'Afrique noire, face à une relative homogénéité linguistique au Maghreb. Relative, à la fois du fait du berbère (la seule langue endogène), et de différentes formes d'arabe dialectal à côté de l'arabe littéral, qui est la langue officielle en Algérie, en Tunisie et au Maroc (où le berbère a récemment été promu co-officiel, sans grand effet pour le moment).

Il y a toutefois un point de rapprochement entre les deux aires africaines : le nombre d'écrivains qui ont adopté le français comme langue d'écriture. L'écrivain algérien Kateb Yacine parlait du français comme d'un « butin de guerre »[2], expression qui est loin de ne s'appliquer qu'à l'Algérie, comme on l'a vu au chapitre I.

2. Le français en contact avec l'arabe au Maghreb

Les trois pays du Maghreb ont historiquement constitué des carrefours de langues dans la Méditerrannée, leur histoire mouvementée ayant vu se succéder la conquête romaine, l'invasion des Vandales, l'arrivée des Arabes et de l'Islam, les Espagnols au Maroc et en Algérie, la conquête turque, puis la colonisation française et finalement l'indépendance, vite acquise en Tunisie et au Maroc (qui étaient des protectorats, indépendance en 1956), mais après une guerre meurtrière de plus de 7 ans en Algérie (1962). Deux facteurs importent pour les situations linguistiques actuelles de ces pays, et leurs différences : le fait que leur langue officielle soit l'arabe classique, la langue du Coran, très éloigné de la pratique langagière ordinaire de la population (même l'arabe classique simplifié, dit « arabe moderne » ou « médian », est une langue de lettrés) ; d'autre part, la proportion de berbérophones, faible en Tunisie (2 %), atteignant entre 40 et 50 % au Maroc, intermédiaire en Algérie (entre 25 et 30 %). Les pays du Maghreb ont tous été confrontés à une politique linguistique colonialiste importée de France. Après les indépendances, tous ont pratiqué une arabisation, de façon assez souple en Tunisie, plus radicale en Algérie.

2. Il est surprenant de constater que cette expression, surcitée, n'est jamais référencée. Malgré de nombreuses recherches, nous n'avons pas trouvé sa source de première main.

2.1. L'Algérie

L'Algérie est le pays maghrébin le plus marqué par la présence française et par le français, parce que la colonisation y a duré 132 ans, et parce que c'est le seul pays du Maghreb ayant connu une véritable colonisation de peuplement (depuis la France, mais aussi d'autres pays européens). L'Algérie a reçu le statut de partie intégrante du territoire français, d'où les réticences à accorder l'indépendance. Aujourd'hui, au-delà de l'héritage colonial, un facteur important dans le rapport au français est le nombre d'immigrés algériens résidant en France et y ayant fait souche (début de l'émigration lors de la Première guerre mondiale, accélérée à partir des années 1960). Les aller-retours réguliers entre les deux pays lient fortement leurs destins, et ancrent le français en Algérie. Selon la DGLFLF, on peut évaluer à 16 millions le nombre de francophones algériens (complets ou partiels), sur environ 38 millions d'habitants. Certaines universités des zones berbérophones dispensent la plupart de leurs enseignements en français (comme Béjaia et Tizi-Ouzou), et beaucoup de matières scientifiques s'enseignent toujours en français.

L'hybridation sous toutes ses formes (voir chapitre III), en particulier dans les alternances codiques, est un régime fréquent de fonctionnement linguistique ordinaire en Algérie, pour le français, pour l'arabe, comme pour le berbère.

Exemple d'alternance français-berbère

M : éteins le clignotant
E : hm
M : <dayi tura nsâa> / céder le passage ne serre pas
Traduction : *<ici maintenant on a>*

[CIEL_F Algérie, Béjaïa, recueil et transcription sous la responsabilité de Sarah Leroy]

Commentaire : un moniteur (M) d'auto-école donne son cours pour l'essentiel en français, et alterne parfois avec le berbère (entre chevrons), et l'arabe (qui n'apparaît pas dans cet extrait).

L'hybridation se trouve aussi chez des migrants adultes arrivés depuis peu en France : des écrivains ont cherché à représenter ce français de locuteurs peu ou pas du tout scolarisés.

Représentations graphiques des paroles d'un illettré en français

Au koussaria, moi qui n'ai jamais adressé la parole à la boulice... Ils vont nous expilsi de là maintenant (p. 124 - « commissariat », « police », « expulser »)
Bi titre, j'va bartir l'anni brouchaine, bi titre li mois brouchain (p. 231 – « peut-être », « partir », « année prochaine »)

[Azouz Begag, *Le gone du chaâba* (1986)]

Commentaire : dans ces deux extraits, il s'agit d'un immigré algérien en France (le père de l'écrivain). À part quelques mots listés en fin d'ouvrage, on voit que la vraisemblance syntaxique est moins recherchée que la représentation d'effets phoniques du contact (voir le *ne* de négation).

Beaucoup de mots français sont entrés dans l'arabe dialectal algérien-darja, comme *machina* « train », ou *zmagra* « les émigrés »... Il a pu être dit que, paradoxalement, le français avait plus progressé depuis l'indépendance, malgré la politique d'arabisation à partir de 1978, en particulier grâce à une presse francophone, à l'antenne parabolique, et aux retours réguliers de familles installées en France.

Quant aux mots arabes entrés dans le français de France, ils ont transité par un parler désormais éteint du fait du départ des Français, le *pataouète*, parler des quartiers populaires d'Alger. Comportant des emprunts aux différentes langues présentes en Algérie à partir du 19e siècle, avant tout l'arabe, il a aussi connu d'autres apports linguistiques, d'Italie, d'Espagne ou de Malte, mais aussi du provençal, la plupart des colons d'Algérie étant originaires du sud de la France. Le pataouète a laissé de nombreuses traces dans l'argot français, car c'est par lui (outre la source militaire) que sont passés nombre d'emprunts du français à l'arabe.

Le pataouète

Les mots arabes passés en français lors de la colonisation (surtout français familier et argotique) par l'intermédiaire du pataouète sont nombreux. Le dictionnaire de Bacri (2000) cite entre autres : *bakchich, barda, baroud, bezef, cawa* (*caoua, kawa*), *chouf* (que l'on retrouve aujourd'hui avec un sens spécifique chez des jeunes en région parisienne), *chouïa, fissa, flouze, glaouis, gourbi, ramdam, tchatche, zouave*... (voir chapitre I).

Un personnage de création littéraire est emblématique du pataouète,

>>

>>
Cagayous (le « roi des Salaouetches »), du quartier de Bab el Oued à Alger, créé par Auguste Robinet dit Musette (albums publiés de 1895 à 1920 – voir www.sepia.fr). Mais la représentation linguistique mise en scène montre moins des emprunts qu'une syntaxe simplifiée souvent jusqu'au stéréotype, des argumentations peu explicites qui laissent supposer le rôle de la prosodie, ou des traits de prononciation populaire.

La situation linguistique algérienne actuelle relève d'un partage entre deux langues d'enseignement et de pouvoir, rarement langues familiales (arabe classique et français, ce dernier au statut ambigu entre langue du passé colonial et langue d'ouverture à la modernité) et deux vernaculaires mal reconnus, l'arabe dialectal et le berbère (tamazight). Ce dernier a été reconnu langue nationale en 2002, quand l'arabe dialectal demeure sans statut autre que d'être parlé.

2.2. Les autres pays du Maghreb

Le Maroc (colonisation de 1912 à 1956) et la Tunisie (de 1881 à 1955) ont été des protectorats, ce qui les distingue de l'Algérie.

Le Maroc est le pays du Maghreb ayant la situation linguistique la plus complexe, du fait d'une forte population berbérophone (ou tamasheq, selon la graphie locale : presque 50 % de la population, relevant de trois dialectes distincts), même si, comme en Algérie, cette présence est minorée dans les discours officiels. Toutefois, les revendications de ces locuteurs ont conduit à certains résultats, en particulier pour l'enseignement (ce qui pose d'autant plus la question de la non-reconnaissance de l'arabe dialectal). La présence française y a été relativement brève (44 ans), mais aujourd'hui de nouveaux facteurs, économiques, assurent un nouveau rôle au français, comme la présence de centres d'appel opérant sur la France, ou une certaine immigration française dans de grandes villes comme Marrakech ou Essaouira.

Quant à la Tunisie, ce pays s'est tellement constamment trouvé au carrefour de différentes langues et différentes cultures que la cohabitation entre langues s'y passe de façon relativement harmonieuse (arabe classique, arabe dialectal tunisien, français), renforcée par des facteurs économiques créant des emplois pour les bilingues dans des zones connaissant un fort chomage des jeunes. Par exemple, les formulaires administratifs sont imprimés en arabe classique et en français, et les services sont assurés en arabe classique, en arabe tunisien et en français.

2.3. Conclusion sur le Maghreb

L'Algérie, qui est pourtant le plus francophone de ces pays, n'adhère à aucune des institutions de la francophonie, contrairement à la Tunisie et au Maroc. Les trois pays demeurent liés à la France par le nombre élevé de leurs émigrés vivant en France (ainsi que leur descendance, française par le droit du sol), et par le satellite qui leur donne accès aux programmes de télévision français. Au Maroc et en Tunisie, les élites demeurent largement francophones, et c'est d'une certaine façon aussi le cas en Algérie ; du moins est-ce un facteur de fracture entre élites anciennes et nouvelles, davantage arabophones. Mais il y a actuellement une véritable dynamique de la francophonie au Maghreb (en particulier dans les médias, aussi bien radio que journaux), même si le principe même en demeure fragile.

3. Les situations linguistiques en Afrique noire

Les pays africains « francophones »[3] sont le Bénin, le Burkina-Faso, le Burundi, le Cameroun, le Centrafrique, le Congo, la Côte d'Ivoire, Djibouti, le Gabon, la Guinée, le Mali, Madagascar, la Mauritanie, le Niger, la République Démocratique du Congo (ex-Zaïre, RDC), le Rwanda, le Sénégal, le Tchad, le Togo. La plupart d'entre eux sont en continuité territoriale, en Afrique de l'Ouest et en Afrique centrale. Deux facteurs ont joué et jouent encore un rôle pour les différencier. Le premier concerne leurs écologies spécifiques (position géographique – côtière ou enclavée, nombre de langues parlées sur le territoire, degré d'homogénéité linguistique, existence ou non d'un ***véhiculaire*** africain, degrés d'urbanisation et de scolarisation, ancienneté de la colonisation...). Le second est l'ex-pays colonisateur, France ou Belgique, qui ont chacun exporté leurs politiques linguistique et éducative (voir partie 1 de ce chapitre).

La conquête française commence au début du 16e siècle, mais intervient surtout au 17e siècle avec l'établissement de comptoirs français au Sénégal. Puis s'instaure le commerce triangulaire exportant des esclaves vers l'Amérique. À la fin du 19e, la colonisation s'accélère, suivie de la répartition des colonies allemandes après la guerre de 14 (Togo et Cameroun, qui deviennent des protectorats).

3. Ces guillemets indiquent que le terme est entendu ici plus largement que selon une maîtrise totale de la langue.

Les colonisations perpétuent les stéréotypes : une représentation graphique déjà ancienne et nettement raciste

- c'est li y en a volé mon beau chapeau de paille

- non c'est li y en a volé

[...]

- Li blanc li très juste !... Li donné à chacun la moitié du chapeau (p. 27)

- Li blanc y en a tabou, chef ! Li jamais atteint par nos flèches... Li grand sorcier

- Amenez l'artillerie lourde ! Nous y en a bombarder li ! Nous y en a bien voir si li sorcier ! (p. 29).

[Hergé, *Tintin au Congo*, première publication 1930-31, album en 1946]

Commentaire : on reconnait là des stéréotypes récurrents dans les représentations écrites, comme *y en a*, l'usage des seuls pronoms toniques (souvent graphiquement simplifiés, comme *li* pour *lui*), ou les verbes soit au présent, soit à des formes n'impliquant que l'infinitif et le participe passé. Il n'y a là ni mot ni trait de langue africaine, mais la mise en scène d'un français simplifié. Rappelons que Hergé était belge.

Récemment, certains facteurs ont fait bouger les rapports entre les langues, dans des pays où le français répond de moins en moins aux normes internationales ou scolaires : les crises successives, la démocratisation de l'enseignement, puis son actuelle quasi-faillite dans beaucoup de pays, la globalisation, enfin l'urbanisation, accentuée par la scolarisation, fût-elle partielle, qui accélère l'exode rural. Ces facteurs sont renforcés par les ***politiques linguistiques*** de pays qui ont adopté la langue de l'ex-colonisateur comme langue officielle, produisant un effet de ***diglossie***, même si l'argument d'une langue neutre par rapport aux ethnies est audible.

Du point de vue du rapport entre les langues locales et le français, les pays africains sont très diversifiés dans leurs écologies. Rares sont les pays à peu près homogènes linguistiquement (le Rwanda avec le kinyarwanda, le Burundi avec le kirundi ; ainsi que Djibouti et Madagascar). Seuls 4 pays plurilingues disposent d'un véhiculaire : le sango en Centrafrique, le bambara au Mali, le wolof au Sénégal, et le haoussa au Niger. Dans ces pays, les communications ordinaires se font en véhiculaire, et le français est limité aux usages officiels, formels et écrits. Une exception est constituée par le Gabon, pays à l'origine peu peuplé, qui connaît une forte immigration intra-africaine et où le français joue souvent le rôle de véhiculaire interethnique. À l'autre extrême, le Cameroun et la Côte d'Ivoire sont très plurilingues. En Côte d'Ivoire, il se parle une soixantaine de langues, et il n'y a pas de véhiculaire d'évidence en dehors du français qui, sous sa forme locale, est désormais la langue première d'un petit pourcentage d'enfants. Au Cameroun, il se parle dans les 250 langues, et seul le pidgin-english (lui-même d'origine européenne, puisque fondé sur l'anglais) est partagé par une bonne partie de la population, parlé désormais même dans la zone francophone. Les autres pays africains se situent entre ces deux extrêmes.

Aya de Yopougon

Dans la bande dessinée *Aya de Yopougon*, dont les dialogues sont écrits par une Ivoirienne vivant en France, l'auteur des dialogues, Marguerite Abouet, recourt à une certaine standardisation du français. Un clin d'œil à l'influence des langues locales est assuré par des traits comme l'exclamation *dêh* en fin de séquence, et par des phraséologies qui rappellent le travail sur la langue de Kourouma (voir chapitre I) : *ma copine pour toi est chic, dêh !* ou *Aya, c'est pas tout on peut expliquer, dêh !* (p. 37). Il y a des différences de façons de parler selon les personnages. Aya, étudiante en médecine, s'exprime en français standard (avec juste quelques *dêh*), alors que ses amies moins scolarisées ont davantage de traits d'ivoirité.

L'urbanisation, ayant pour effet un brassage des ethnies qui rend l'intercommunication plus difficile, et les progrès de la scolarisation, ont favorisé une appropriation plus vaste du français (on parle de ***vernacularisation***). L'extension du nombre de locuteurs a pour contrepartie une baisse des exigences du point de vue des normes du français international, et sa perméabilité aux langues locales, deux facteurs générateurs d'insécurité. Ainsi, le français de Côte d'Ivoire est passé depuis les années 80 par différentes étapes d'hybridation, du « français populaire ivoirien » jusqu'au nouchi d'aujourd'hui (voir partie 4).

L'appropriation du français par des locuteurs n'en ayant pas eu une véritable acquisition scolaire s'appuie sur des variétés locales de français, restructurées dans des simplifications, en particulier pour les verbes et les pronoms personnels, la suppression de certains morphèmes, des réductions d'irrégularités, qui partagent beaucoup de caractéristiques indépendamment des langues de substrat.

Comme au Maghreb, l'hybridation est omniprésente en Afrique, notamment l'alternance codique, qui permet de gérer le plurilinguisme dans la communication quotidienne.

Un exemple d'alternance en Côte d'Ivoire

lik. tɛ hein *i kusuman kaflɛ sɛ* c'est devenu indispensable
chose mauvaise [hein] 3sg aussi pardon mais [c'est devenu indispensable]
Traduction : *c'est une mauvaise chose hein ça aussi c'est dangereux mais c'est devenu indispensable*

[Corpus CIEL_F Côte d'Ivoire, Boutin 2014]

Commentaire : la locutrice passe dans le même énoncé du baoulé au français. Le segment en baoulé contient la particule de discours française *hein.*

Dans toute l'Afrique noire, il y a des traits partagés du français d'usage ordinaire, comme le *là* en fin de séquence, qui permet la détermination d'un groupe (*matin-là*, « ce matin ») ou d'un énoncé (*je suis fan d'une go là*). Ces exemples proviennent de Côte d'Ivoire, mais on trouve des formes semblables partout en Afrique, la fréquence des marqueurs démonstratifs constituant une tendance universelle de l'oralité. Ce *-là* de fin de séquence recoupe souvent des marqueurs équivalents dans des langues africaines pourtant typologiquement très éloignées.

Il peut donc y avoir des ***effets de convergence*** en situation de contact entre langues très différentes. Ainsi, le français africain tend à marquer certaines parties du discours oral par *même*. En contact avec le baoulé, qui dispose du marqueur fonctionnellement équivalent *bɔbɔ́/bɔɔ́*, cette tendance apparaît renforcée :
faut lui dire que tu m'as donné permis (.) permis même j'ai déposé même quelque part même où ça

[CIEL_F Côte d'Ivoire, Boutin 2014].

Dans les formes les plus ordinaires de français local, on observe une simplification de la syntaxe, des adaptations phoniques et graphiques de termes français pour les référents « modernes » (*peresident*), des mélanges de registres, une forte influence des usages oraux… L'usage des lettrés est au contraire souvent caractérisé par l'***hypercorrection*** et par une rhétorique influencée par la phraséologie des langues africaines.

Le contact en Afrique n'a pas pour unique effet le transfert d'éléments africains au français et l'alternance entre les langues : il y a aussi copiage d'éléments français vers les langues africaines.

4. L'émergence de parlers hybrides

Seuls certains pays africains offrent des conditions favorables à l'émergence de langues hybrides. Il s'agit là d'une caractéristique récente des cultures urbaines, en particulier chez les jeunes : elle est très présente en Afrique noire, du fait du plurilinguisme généralisé et du nombre élevé de jeunes.

4.1. Conditions pour qu'il y ait émergence de parlers hybrides

On a vu au chapitre III qu'on appelle ***parler (ou langue) hybride*** l'intrication de deux langues ou plus, possiblement à tous les niveaux linguistiques, du phonique au sémantico-pragmatique (où c'est plus difficile à percevoir) : les hybridations, conventionnalisées, constituent alors une part importante des énoncés. Les langues hybrides sont à distinguer de l'alternance codique, qui suppose la maîtrise des langues sources. C'est ce à quoi renvoient des dénominations parfois utilisées comme *franlof* au Sénégal (ou *francolof*), *fransango* au Centrafrique, *francarabe* au Maghreb, *frangala* dans les deux Congos, *frangache* à Madagascar..., même si ces termes peuvent recouvrir des pratiques très diverses, et ne sont pas toujours utilisés par les locuteurs eux-mêmes.

La première condition pour qu'émerge un parler hybride est le contexte de plurilinguisme généralisé, fréquent en Afrique. Mais il faut aussi l'absence d'un ***véhiculaire*** incontesté. Ainsi, au Centrafrique, au Mali ou au Sénégal, l'intercommunication ordinaire se fait dans le véhiculaire qui satisfait la plupart des besoins communicatifs quotidiens, et le français est cantonné aux usages formels et à l'enseignement, surtout de niveau avancé. Au contraire, au Cameroun et en Côte d'Ivoire se sont développés le camfranglais d'un côté, le nouchi de l'autre. Le cas d'un parler hybride aujourd'hui disparu, l'*hindoubill*, illustre de façon négative le rôle du facteur « véhiculaire ». Il s'est parlé dans les années 60 en République Démocratique du Congo (Zaïre à l'époque) (aussi *indoubill, ndoubill* – le nom reflétant l'imaginaire des jeunes sur les films américains). Il était à base de lingala avec quelques emprunts au français, et il a disparu pour des raisons sociales, quand les marginaux qui constituaient son terreau ont été intégrés de force dans la milice du parti unique. Ce qui atteste *a contrario* que les parlers hybrides répondent à une nécessité sociale, et ne perdurent qu'autant que celle-ci existe.

Les parlers hybrides, qui montrent au moins à l'origine une émergence chez des marginaux ou des voyous, et qui sont incompréhensibles aux non-initiés, mettent en exergue des compétences plurilingues. Ils sont le propre d'urbains quelque peu scolarisés, puisque ces compétences mettent en jeu au moins une langue occidentale, et souvent plusieurs langues africaines, susceptibles d'être parlées par les jeunes concernés sous une forme non hybridisée. Ce sont souvent des secondes générations d'urbains qui sont à l'origine de ces pratiques, manifestant ainsi une modernité en triple opposition : aux générations antérieures, à la ruralité et à la culture traditionnelle, et aux élites et classes au pouvoir, qui ont été formées au français standard.

4.2. Le nouchi en Côte d'Ivoire

La dénomination de nouchi a succédé à celle de « français populaire ivoirien » des années 80, ce terme ayant lui-même remplacé ceux, plus vagues, de « petit français » ou « français de Moussa » (popularisé par le journal *Ivoire-Dimanche*).

Outre les emprunts à des langues africaines (avant tout le dioula, mais aussi le bété, le baoulé, l'attié...), le nouchi est initialement une façon de parler de marginaux et de *bakromans* (« ceux qui vivent dans la rue »). Mais il a rapidement été adopté par des étudiants, diffusé en particulier par la musique au tournant des années 90, sur fond d'échec scolaire massif et de revendisations estudiantines vers la fin de la présidence de Félix Houphouët-Boigny, mort en 1993. L'instabilité du nouchi est forte, à l'oral comme dans les récentes tentatives d'écrits sur les blogs ou les sites internet. Il diffère en fonction de la maîtrise des différentes langues dont dispose un locuteur : ainsi, il y a plus de mots d'origine française dans le nouchi des étudiants que dans celui des marginaux.

Ayant bénéficié d'une diffusion à travers la musique zouglou des années 80 et 90 (mais aussi du reggae d'Alpha Blondy, et aujourd'hui du rap), puis de l'expression dans les styles plus récents que sont le mapuka et le coupé-décalé, le nouchi s'est imposé comme un style en même temps qu'une façon de parler. Il a essaimé au-delà de la population initiale, pour constituer désormais une expression identitaire[4], où il apparaît concilier modernité (jadis représentée par le français) et ivoirité. De plus en plus souvent parlé à la maison, il devient la première langue d'une petite frange de la population, et il est très présent à la radio et à la télévision ainsi que dans les publicités, les tags ou les graffitis.

4. Le site http//:www.nouchi.com offre différentes rubriques, dont un dictionnaire en ligne (« dico nouchi »), sollicitant la participation des usagers. Et les mots reçoivent des étoiles en fonction de leurs qualités.

Il commence à essaimer au-delà de la Côte d'Ivoire, par exemple au Burkina-Faso où il a été rapporté par les émigrés burkinabé en Côte d'Ivoire, ainsi que dans la communauté ivoirienne de Paris : on en a vu des traces dans les parlers jeunes parisiens (voir chapitre I).

Quelques procédés du nouchi

En nouchi, les verbes ne se conjuguent qu'à certains temps, quelle que soit leur origine. Ainsi, la racine *daba* (« manger ») peut prendre un morphème temporel d'imparfait : [tydabase], « tu mangeais » ; alors qu'elle demeure invariable aux autres temps : *tu daba, vou z'étié entrin de daba, j'ai daba, je vé daba* (exemples du site nouchi.com).

La plupart des dérivations prennent appui sur des suffixes d'origine française, mais il y a aussi des suffixes provenant du dioula, comme *-ya* qui permet de former des noms ; par exemple, sur l'expression française *bras droit* : *bradrwa-ya*, « amitié ». Deux suffixes anglais sont très productifs : *-ing*, comme dans *percing*, « réussite », sur la base française *percer*, et *man*, comme dans *zraman*, « drogué », sur la base du dioula *sara*, « tabac » ; *draman* (« quelqu'un qui a des ennuis » – *il y a pas dra* = « il y a pas de problème »), de l'expression française « être dans de beaux draps/sales draps ».

Le regard que les Ivoiriens portent sur le nouchi a peu à peu évolué, et presque tous reconnaissent aujourd'hui qu'il fait pleinement partie de leur paysage linguistique.

4.3. Le camfranglais/francanglais au Cameroun

Le camfranglais (ou *francanglais*, selon le terme souvent adopté par les locuteurs eux-mêmes, pouvant être abrégé en *cam, francam, camfra(n)*...) est le produit de manipulations délibérées du français, avant tout par des emprunts, à l'anglais (langue co-officielle), au pidgin-english (qui fonctionne comme véhiculaire, surtout urbain), à des langues africaines (dioula, ewondo, bamileke...) ; ou à toute langue dont le locuteur connaît quelques éléments[5]. Instable et créatif, il diffère à Douala (son lieu supposé d'origine) et à Yaoundé.

5. Le camfranglais aussi dispose d'un dictionnaire collaboratif : http://etounou.free.fr, « Parler camerounais ». Voir aussi le blog www.mboablog.com

Une chanson de rap camerounaise

Si tu vois ma ngo, dis lui que je go (copine - parfois *go*)
je go chez les watt nous falla les do (je vais, les blancs, trouver, de l'argent)
la galère du kamer toi-même tu know (Camerounais, connais)
tu bolo tu bolo mais ou sont les do (tu travailles, l'argent)

Commentaire : cette chanson du rappeur Koppo a connu un grand succès. Elle est très souvent citée pour illustrer le camfranglais.

Tout en respectant pour l'essentiel la syntaxe du français courant, sous sa forme camerounaise ordinaire, sa morphologie et son lexique peuvent varier fortement : les emprunts interviennent selon des proportions diverses, selon les locuteurs et leurs compétences dans les différentes langues. Les processus d'adaptation formelle et sémantique à partir du français sont eux-mêmes diversifiés. Les catégories du verbe et du nom ne sont pas rigides : *toli* en tant que verbe peut recouvrir des emplois de « dire » comme de « parler » ; et en tant que nom, de « parole », « récit », « discours », « histoire », « façon de parler »... Enfin, on trouve des termes passe-partout, comme *way* (ou *wé*), à comparer à *truc* en français de France.

Exemples d'énoncés en camfranglais

je vais try de t'aider mais gars il y a un bougui demain chez mon oncal tu vas came non (p. 153 - « essayer », « fête », « oncle », « venir »)
Je know que les mbenguistes quand ils travel ils ne pensent pas au cotar de la galère (p. 157 - « je sais que ceux qui vont en Europe ne pensent plus à leurs compagnons rester souffrir au pays » – sic)
Regarde go un peu au lage à la night tu vas ngné les wa (p. 159 - « va », « village », « nuit », « voir », « prostituées »)

Commentaire : dans ces exemples, la base est le français, comme on le voit dans des verbes conjugués, *en speakant, vous goez, il mimbayait.* Les termes anglais concernent souvent des articulateurs de discours : *so, well, anyway, right now*... On trouve des racines françaises avec un suffixe anglais : *cherching*, « chercher de l'argent », *larguing*, « virer quelqu'un », sur l'argotique *larguer.*

[Article de Venant Eloundou Eloundou, *in* Bulot & Feussi 2012]

Le francanglais est vu par ses locuteurs comme susceptible d'exprimer une « identité camerounaise », en tant que syncrétisme national. De là son extension au-delà des couches sociales initiatrices, à pratiquement tous les Camerounais, dans des contextes ordinaires.

4.4. Les destinées des langues et parlers hybrides d'Afrique

Les parlers et langues hybrides africains diffèrent aussi des pratiques de communication hybridisée par la perception de plus en plus positive qu'en ont leurs usagers, qui les regardent comme des marqueurs identitaires (générationnels, urbains et/ou nationaux), comme une façon de s'approprier la langue de l'ex-colonisateur, disqualifiée du fait de représenter le passé colonial, voire un néo-colonialisme. Ces parlers et langues sont ainsi acceptés et même revendiqués en tant que véhiculaire national interethnique. Perçus comme branchés, ils peuvent prendre un statut identitaire de groupe (« jeunesse urbaine contestataire de l'ordre établi »), et même, parce qu'ils ne connotent ni une ethnie ni une langue ethnique particulières, donner corps à une expression d'identité nationale. Quand ce stade est atteint, ils se stabilisent quelque peu et sont prêts à se conventionnaliser.

Comportant une ***dimension ludique*** qui se traduit par une grande souplesse et un rejet de toute règle contraignante, ils manifestent, au-delà d'une variabilité inhérente, des principes morpho-syntaxiques et pragmatiques qui demeurent stables, d'ailleurs semblables à ce qui se produit dans les parlers jeunes du monde entier, où ce sont surtout les plans phoniques et sémantiques/pragmatiques/rhétoriques qui connaissent des distorsions. Pour le nouchi comme pour le camfranglais, la morpho-syntaxe est à dominante française, en tous cas pour les mots outils et pour l'ordre des mots (il y a davantage d'hybridation morphologique en nouchi). Dans l'élargissement de la base sociale que ces façons de parler sont en train de connaître, les procédés phonologiques (ayant à voir avec une ***fonction cryptique***, et propres aux peu scolarisés, aux élèves et étudiants déscolarisés, aux marginaux) se raréfient, et ce sont les procédés sémantiques qui l'emportent.

Il y a entre les parlers des jeunes occidentaux et ce qui surgit ainsi en Afrique à la fois des analogies et des différences. Parmi les ressemblances, l'adhésion à une culture populaire jeune américaine (R'n'B, hip hop), qui se concrétise surtout par des emprunts à l'anglais ; mais aussi l'attitude communicative dominante (s'amuser, exhiber habileté verbale et rapidité, rivaliser dans la créativité et le prestige qui en découle). Une autre propriété est partagée avec les parlers jeunes des Occidentaux : les garçons y sont plus souvent partie prenante que les filles, ces façons de parler ayant à voir avec une posture d'affirmation de virilité, de mise en scène de soi, de culture des rues. Toutefois, cette particularité s'avère de moins en moins exclusive.

Les différences sont quant à elles avant tout des conséquences du legs postcolonial en Afrique. C'est d'abord leur nouvelle saillance, du fait qu'ils portent des noms, la désignation donnant corps à la variété aux yeux mêmes des locuteurs ; et tout locuteur est susceptible d'identifier comme tel un segment, même bref. Ce sont ensuite la nature plurilingue et pluriculturelle des ressources langagières, la politique linguistique du fait de l'adoption comme langue officielle d'une langue extérieure au territoire (on parle d'***exoglossie***), l'insécurité linguistique en français standard (des expressions dépréciatives comme « gros français » pour qualifier celui-ci se rencontrent partout en Afrique), et l'expansion fonctionnelle par laquelle la variété déborde du groupe initial de locuteurs, pour devenir un mode d'inter-communication, au moins nationale. L'un des moteurs du constant renouvellement est d'ailleurs justement cette extension.

Conclusion

On a pu dire que c'était sur le continent africain que se jouerait l'avenir de la francophonie, aussi bien pour le Maghreb que pour l'Afrique noire. Or, c'est une francophonie souvent fragile, qui pourrait aisément basculer vers une autre langue, exogène elle aussi (l'anglais bien entendu), comme on l'a vu quand le Zaïre a été tenté de sortir de la francophonie. C'est aussi une francophonie profondément teintée par le plurilinguisme, aussi bien au Maghreb qu'en Afrique noire, qui obligera sûrement à moduler les conceptions normatives ou trop puristes du français. C'est enfin une francophonie très sensible à l'usage ordinaire, surtout oral, en tous cas de proximité : on ne saurait exagérer l'importance du rôle des médias comme la radio et parfois la télévision. Et, de façon récente, d'internet et des graphies ordinaires qu'il promeut.

REPÈRES POUR LES RÉFÉRENCES

Pour la situation globale de l'Afrique noire et du Maghreb, Sanaker *et al.* 2006*, Calvet 2010 pour l'histoire du français en Afrique. Pour les formes de langue et pour les politiques linguistiques respectives de la France et de la Belgique en Afrique noire, voir Manessy 1994, Queffélec 2008, Boutin & Gadet 2012. Pour le Maghreb, Caubet 1998 et 2002, Queffélec *et al.* 2002.

Pour les langues hybrides en Afrique, Kiessling & Mous 2006, Queffélec 2009 pour les fonctionnements généraux. Ahua 2006, Kouadio N'Guessan 2006, Newell 2009 pour le nouchi ; pour le camfranglais/francanglais, Feussi 2008 et Féral 2010, et trois articles dans Bulot & Feussi 2012. Queffélec 2007 sur l'hindoubill. Thiam 1992 pour le Sénégal. Caïtucoli & Zongo 1993 pour le surgissement d'un parler de jeunes au Burkina Faso.

BIBLIOGRAPHIE FONDAMENTALE

BULOT T. & FEUSSI V. (eds) (2012) - *Normes, urbanités et émergences plurilingues (Parlers (de) jeunes francophones)*, Paris, L'Harmattan.

CALVET L.-J. (2010) - *Histoire du français en Afrique. Une langue en copropriété ?*, Paris, Organisation Internationale de la francophonie.

MANESSY G. (1994) - *Le français en Afrique noire. Mythes, stratégies, pratiques*, Paris, L'Harmattan.

QUEFFÉLEC A. (2008) - « L'évolution du français en Afrique noire, pistes de recherche », *La francophonie aujourd'hui, réflexions critiques* (K. Holter & I. Skattum, eds), Paris, L'Harmattan, pp. 63-76.

QUEFFÉLEC A., DERRADJI Y., DEBOV V., SMAALI-DEKDOUK D. & CHERRAD-BENCHEFRA Y. (2002) - *Le français en Algérie : lexique et dynamique des langues*, Bruxelles, de Boeck & Larcier, Actualités linguistiques francophones.

SOURCES LINGUISTIQUES ET LITTÉRAIRES

ABOUET M. & OUBRERIE C. (2010) - *Aya de Yopougon*, vol. 6, Paris, Gallimard.

BACRI R. (2000) - *Trésor des racines pataouètes*, Paris, Belin.

BEGAG A. (1986) - *Le Gone du chaâba*, Paris, Le Seuil.

HAMPÂTÉ BÂ A. (1994) - *Oui mon commandant ! Mémoires II,* Arles, Actes Sud.

HERGÉ (1946) - *Tintin au Congo*, Paris-Tournai, Casterman.

Inventaire des particularités du français en Afrique noire (1988) - Paris, EDICEF/ AUPELF, Universités francophones.

LAROUI F. (2010) - *Une année chez les Français*, Paris, Julliard.

SI L'ON VEUT ALLER PLUS LOIN

AHUA B. (2006) - « La motivation dans les créations lexicales en nouchi », *Le français en Afrique*, n° 21, pp. 143-157.

BOUTIN B.-A. (2014) - « Décrire le français en relation aux langues en contact. L'exemple du dioula et du baoulé en Côte d'Ivoire », *Journal of Language Contact*, n° 7:1, *French outside France (America and Africa)*, pp. 36-61.

BOUTIN B.-A. & GADET F. (2012) - « Comment ce que montrent les français d'Afrique s'inscrit/ne s'inscrit pas dans les dynamiques des français dans une perspective panfrancophone », *Le français en Afrique*, n° 27, pp. 19-34.

CAÏTUCOLI C. & ZONGO B. (1993) - « Éléments pour une description de l'argot des jeunes au Burkina Faso », *Le français au Burkina Faso* (C. Caïtucoli, ed), CNRS-Université de Rouen, pp. 129-43.

CAUBET D. (1998) - « Alternance de codes au Maghreb, pourquoi le français est-il arabisé ? », *Plurilinguisme, alternance des langues et apprentissage en contextes plurilingues*, n° 14, pp. 121-142.

CAUBET D. (2002) - « Métissages linguistiques ici (en France) et là-bas (au Maghreb) », *Ville-École-Intégration Enjeux*, n° 130, pp. 117-132.

FÉRAL C. de (2010) - « 'Pourquoi on doit speak comme les white ?' : appropriation vernaculaire du français chez les jeunes au Cameroun », *La syntaxe de l'oral dans les variétés non hexagonales du français* (M. Drescher & I. Neumann-Holzschuh, eds), Tübingen, Stauffenburg, pp. 53-64.

FEUSSI V. (2008) - « Le francanglais comme construction socio-identitaire du 'jeune' francophone au Cameroun », *Le français en Afrique*, n° 23, pp. 381-396.

KIESSLING R. & MOUS M. (2006) - « Vous nous avez donné le français, mais nous sommes pas obligés de l'utiliser comme vous le voulez. *Youth Languages in Africa », Perspektiven der Jugendsprachforschung / Trends and Developments in Youth Language Research* (C. Dürscheid & J. Spitzmüller, eds), Frankfurt am Main, Peter Lang, pp. 385-401.

KOUADIO N'GUESSAN J. (2006) - « Le nouchi et les rapports dioula-français », *Le français en Afrique*, n° 21, pp. 177-191.

NEWELL S. (2009) - « Enregistering Modernity, Bluffing Criminality. How Nouchi Speech Reinvented (and Fragmented) the Nation », *Journal of Linguistic Anthropology*, n° 19:2, pp. 157-184.

QUEFFÉLEC A. (2007) - « Les parlers mixtes en Afrique francophone subsaharienne », *Le français en Afrique*, n° 22, pp. 277-291.

QUEFFÉLEC A. (2009) - « Normes et parlers hybrides en Afrique francophone », *Normes et hybridation linguistiques en francophonie* (B. Pöll & E. Schaffroth, eds), Paris, L'Harmattan, pp. 45-66.

THIAM N. (1992) - « Nouveaux modèles de parlers et processus identitaires en milieu urbain : la cas de Dakar », *Des villes et des langues* (E. Gouaini & N. Thiam, eds), Paris, ACCT-Didier Érudition, pp. 495-511.

Chapitre VI

LES ESPACES AYANT CONNU LA CRÉOLISATION

Le français est partie prenante de situations dans lesquelles ont surgi des langues présentant un caractère nouveau, que l'on appelle « créoles », terme dont la définition constituera notre premier point de réflexion. La majorité d'entre eux sont apparus dans des îles. Dans la plupart des cas, les créoles à base française cohabitent avec le français dans les espaces concernés – et souvent avec d'autres langues.

1. Définir les créoles

C'est peut-être la musique qui, au cours des dernières décennies, a le mieux contribué à faire connaître les langues créoles, notamment à travers le zouk antillais et d'autres productions actuelles.

Chanson du Martiniquais E.sy Kennenga « Madinina number one », alternant le français et le créole martiniquais

Welcome sur mon île aux flowers
Comme tu sais c'est de là que vient mon power [...]
Sa ki lé vini vini mé pa kité zot alé nous sa fè zot détalé
Pas' nou ja las' palé palé ba tou sa ki palé palé
Fè madinina vancé yo ka fè dè bagay insencé [...]

Traduction de l'auteur : « Ce[ux] qui veulent venir, venez !
Mais ne vous laissez pas aller sinon repartez
Parce que nous sommes fatigués d'expliquer les choses
à ceux qui ne veulent pas faire la Martinique progresse[r]
ils font des choses insensées »

>>

>>
Commentaire : le chanteur traduit en français, ou plutôt recrée le passage créole de son texte. Le créole martiniquais coexiste avec d'autres langues, avant tout le français et, en tout cas ici, l'anglais. Dans le passage en créole se trouve un mot français, mais avec une orthographe hybride (« insencé » *vs* « insensées »).

Les langues créoles sont des langues de contact, en plusieurs sens. Dans le court extrait de la chanson de Kennenga, certains termes lexicaux sont d'origine française : *vini* (de *venir*), *kité* (de *quitter*), *palé* (de *parler*), *fè* (de *faire*), *bagay* (de *bagage*).

Quant à la grammaire, l'interprétation s'avère moins facile. Certains phénomènes ne peuvent se comprendre comme des héritages directs du français :

- *nou ja las* ne comporte pas de prédicateur explicite, et il faut l'ajouter dans la traduction, *nous sommes déjà fatigués*. Cette absence de prédicateur est d'ailleurs un phénomène connu dans d'autres langues, dans des langues véhiculaires ou dans des pidgins ;
- *ba* est une préposition, sans doute dérivée du verbe français *bailler*. Ce type d'évolution ***(grammaticalisation)*** impliquant le passage d'un verbe à une préposition existe aussi dans d'autres langues, notamment africaines ;
- *ka* (dans *yo ka fè*) est une particule aspectuelle qui confère une valeur imperfective ou (« progressive ») au prédicat. Elle ne peut être aisément reliée à une étymologie française. Bien que d'autres particules aspecto-temporelles créoles dérivent vraisemblablement de périphrases françaises (comme *être après de faire quelque chose*, qui a donné *aplapé* en créole haïtien), ce type de détermination par particules est connu dans d'autres langues, en particulier africaines.

Le rôle historique du contact dans l'émergence des créoles s'avère donc important. Une approche socio-historique permet de les caractériser en tenant compte de l'histoire de la colonisation, de la déportation d'esclaves, de l'établissement d'une société de plantation, et du phénomène de domination linguistique. Les créoles prototypiques fondés lexicalement sur le français émergent dans les colonies ou dans des constellations analogues, en général en territoire insulaire et en situation de contact forcé.

Ce contact est essentiellement le fait de l'interaction entre Européens, locuteurs de français[1], qui imposent leur langue à des locuteurs d'autres

1. Il en va de même pour l'anglais ou pour le portugais, dans d'autres lieux.

langues, dans la plupart des cas africaines. Ces derniers forment un groupe supérieur en nombre, mais socialement dominé, puisqu'il s'agit surtout d'esclaves africains. Cette situation de contact a été complexe, car d'autres groupes linguistiques ont aussi laissé des traces. Dans les créoles haïtien, martiniquais et guadeloupéen, on trouve par exemple des mots amérindiens (arawaks, caraïbes), anglais, espagnols ; quant aux créoles de l'océan Indien, on est encore loin d'avoir mesuré l'apport du malgache ou du bhojpouri.

Il s'avère ainsi que seul le lexique peut être attribué clairement à une langue-source, en l'occurrence le français – dialectal ou régional, surtout de l'ouest et du centre –, et qu'une interprétation généalogique est plus difficile pour la grammaire. Le système nominal et pronominal des créoles repose plus ou moins sur le français, mais le système verbal, décisif pour l'analyse généalogique et typologique, échappe à une catégorisation facile. C'est pourquoi il a été proposé de parler de « créoles à base lexicale française », pour souligner que ces langues ne doivent que leur vocabulaire au français, et qu'elles ne sont pas de pures variétés simplifiées de cette langue. On parle désormais plutôt de « créoles à base française », ou de « créoles français ». Ce faisant, il convient de se garder de tout *a priori* génétique. Et c'est en ce sens qu'on parle de « créoles anglais », « créoles portugais »… : la langue du colonisateur européen a fourni la base lexicale, alors que l'héritage grammatical semble plus incertain.

Si une définition socio-historique des créoles semble ainsi possible, qu'en est-il sur le plan typologique ? Y a-t-il une proximité structurelle suffisante entre les différents créoles, quelle que soit leur base lexicale, permettant d'établir un type structurel commun ?

Comparaison structurelle de différents créoles

- Créole guadeloupéen (à base française)

An	*ka*	*vwè*	*on*	*mabouya.*
1SG	PROGR	see	INDF	gecko

« Je vois un gecko »

- Créole mauricien (à base française)

Mo	*ti*	*dòn*	*Pyè*	*liv*	*la.*
1SG	PAST	give	Pierre	book	DEF

« J'ai donné le livre à Pierre »

>>

>>

- Papiamentu (à base luso-espagnole)

María	*a*	bai	*Boneiru.*
Mary	PFV	go	Bonaire

« Marie est/ était allée à Bonaire »

- Sranan (à base anglaise)

Den	*pikin*	*e*	*sribi*	*nownow.*
The.PL	child	IPFV	sleep	now

« Les enfants sont en train de dormir maintenant »

Commentaire : ces exemples, qui proviennent d'articles de Michaelis *et al.* 2013, révèlent des similitudes, notamment pour l'ordre sujet-verbe-objet, la détermination prédicative, la simplification morphologique et la transparence grammaticale. Abréviations : SG, singulier ; PROGR, progessif ; INDF, indéfini ; DEF, défini ; PFV, perfectif ; IPFV, imperfectif.

La question des ressemblances structurelles entre créoles demeure un enjeu de débats, offrant deux possibilités pour caractériser structurellement les créoles :

- il existe au moins un trait structurel, phonétique ou morphosyntaxique, présent seulement dans les créoles, et dans tous les créoles ;
- il y a un ensemble de traits structurels dont chacun se trouve dans d'autres langues mais qui, dans cette configuration, n'existe que dans les créoles.

Cependant, aucune de ces deux possibilités n'est avérée pour les langues considérées comme « créoles » aujourd'hui.

Des créoles à base française se sont surtout développés dans deux zones géographiques, où ils sont, dans la plupart des cas, actuellement encore pratiqués en contact avec le français :

- la Caraïbe : Haïti, la Martinique, la Guadeloupe, la Dominique, Sainte-Lucie, la Guyane française ;
- l'océan Indien : les Seychelles, Maurice (et Rodrigues), la Réunion.

Au-delà de ces espaces, dans la vaste aire du Pacifique, il existe une langue de contact à base française ressemblant beaucoup aux créoles, le tayo de Nouvelle-Calédonie.

Les différentes écologies impliquant des contacts divergent fortement les unes des autres. Certaines seront présentées ci-dessous.

2. Les créoles comme langues de contact : le débat sur la créolisation

Les créoles peuvent être doublement qualifiés de langues de contact, sur deux plans où le français joue un rôle. D'abord, dans une perspective historique : la première créolisation, avec l'émergence des langues créoles, est liée à une situation de contact multiple et asymétrique. Ensuite, dans une perspective actuelle : ils s'avèrent particulièrement sensibles au contact.

2.1. Contacts et émergence des créoles – la créolisation

Les créoles apparaissent donc dans des constellations incluant des langues ou des variétés qui divergent selon plusieurs paramètres : statut social, nombre de locuteurs, compétences, relation entre oral et écrit, appartenance génétique et typologique, fonctions communicatives. Le français importé dans les colonies revêtait diverses formes régionales, différentes langues africaines étaient présentes, et les esclaves étaient souvent plurilingues. À quoi s'ajoutent les contacts avec les langues des autres colonisateurs européens (surtout espagnol, portugais, anglais), ainsi qu'avec les deux principales langues amérindiennes, l'arawak-taïno et le caraïbe pour la zone américano-atlantique ; et, pour l'océan Indien, principalement avec le malgache et le bhojpouri.

Pour la Caraïbe, les premiers indices d'émergence de créoles à base française datent de la fin du 17e siècle. Le dominicain Jean-Baptiste Labat, relatant son séjour aux Antilles (1694-1706), signale l'existence d'une langue cohérente parlée par tout un groupe social.

Exemples fournis par Labat, missionnaire peu philanthrope mais remarquable observateur

« Je m'avisai de demander au Négre qui me conduisoit, s'il y avoit des serpens dans le chemin ; il me répondit, aussi-tôt, en son baragoüin : Tenir mouche. » (p. 104)

« Le Négre qu'on m'avoit donné étoit créolle, il avoit déja servi d'autres Cures, il connoissoit le quartier où j'allois, il parloit François, d'ailleurs j'étois déja accoûtumé au baragoüin ordinaire des Négres. » (p. 135)

[R.P. Jean-Baptiste Labat 1722, vol. I]

Les créoles français de l'océan Indien naissent plus tardivement que ceux de la Caraïbe. La colonisation française de l'Île Bourbon (aujourd'hui la Réunion) débute en 1665 ; on y déporte alors des esclaves malgaches.

Une première attestation du créole réunionnais ?

« La peur des châtiments suggérait parfois aux prévenus de singuliers moyens de défense. Elle est plaisante cette déclaration de Marie, la bonne de M. Ferrere qui a abandonné son travail pour commettre pour la seconde fois «le crime du marronnage». À elle demandé pourquoi elle s'est enfuie pendant six mois, elle répondit *Moin la parti marron parce qu'Alexis l'homme de jardin l'était qui fait à moin trop l'amour.* »

[Cité par Chaudenson 1981, p. 3, extrait du rapport d'un jugement rendu entre 1714 et 1723]

Le processus qui aboutit à l'émergence des créoles est appelé ***créolisation***. La définition de ce terme est délicate et même conflictuelle, compte tenu de ses implications. On ne parle ici que de créolisation linguistique, et non de créolisation sociale ou culturelle, souvent concomitante.

Les chercheurs semblent admettre l'incidence de différents facteurs jouant sur la créolisation, dont il reste à établir le poids respectif :

- à l'origine, des « dialectes » français (surtout du nord-ouest) ;
- des contacts historiques diversifiés, avec différentes langues ;
- le poids d'universaux cognitifs et de schémas de modalités d'acquisition des langues ;
- les effets de l'oralité.

Ceux qui privilégient la base orale et/ou dialectale française s'appuient sur une distinction historique : la transmission du français aux esclaves aurait eu comme condition une première phase d'évolution de la société coloniale, la « société d'habitation ». En effet, les colons français, pendant les décennies suivant la prise de possession des terres, menaient une lutte pour leur survie, cultivant la terre avec peu d'esclaves. Les rapports entre la famille du colon et les esclaves étaient donc proches, de sorte que se trouvait favorisée la transmission d'un français transformé, simplifié en commun. Ainsi se serait constituée la base linguistique du créole, qui émerge dans la deuxième phase de la société coloniale (« société de plantation »), où les esclaves africains deviennent majoritaires et où se mettent en place les grandes plantations, impliquant une distance entre maîtres et esclaves. Cette position privilégie le rôle du français dans le processus de créolisation, et conduit à parler de « créolisation du français ».

D'autres auteurs retiennent la proximité structurelle entre créoles de base différente (française, anglaise, portugaise...), et expliquent ces similitudes grammaticales par les langues africaines des esclaves dits « bossales » (directement déportés dans la Caraïbe depuis l'Afrique)[2]. Une autre explication favorisant plutôt la rupture que la continuité par rapport au français consiste dans l'accentuation du rôle des facteurs cognitifs et universaux. Si le français n'est pas considéré comme base essentielle des créoles, on parle de « créolisation » tout court, processus aboutissant, à travers l'interaction des différents facteurs, à l'émergence d'une langue créole.

2.2. Le présent : des contacts à la « décréolisation » ?

Nous avons vu qu'une définition socio-historique des créoles repose sur les similitudes des conditions sociales, généralement coloniales dans leur phase d'émergence. Aujourd'hui, cette parenté écologique a largement disparu, et les créoles évoluent selon les mêmes mécanismes que toutes les langues du monde.

Cependant, certains constats concernent l'ensemble des écologies créoles : tous les créoles se pratiquent dans des conditions de contact. Et tous sont confrontés à des problèmes de passage à l'écrit et à la nécessité d'exprimer de nouveaux contenus. Les créoles font l'objet de tentatives d'aménagement linguistique. Le français est présent à des degrés divers dans pratiquement toutes ces écologies créoles actuelles. Et comme les créoles doivent plus de 80 % de leur lexique au français, ces langues disposent, au moins sur ce plan, d'une « charnière » avec le français. Cette parenté lexicale entre le français et le créole est perçue par les locuteurs, et facilite le transfert d'éléments d'une langue à l'autre. On peut donc s'attendre à ce que le français constitue une langue de contact influente.

Autre constat valable pour toutes les écologies créoles : les effets du contact sont en général bidirectionnels, du français au créole et *vice versa*. Cette influence bi-directionnelle aboutirait à une « créolisation du français »

2. Ce serait éventuellement aussi un pidgin luso-africain qui se trouverait à la base de tous ces créoles. Il se serait formé dans les camps sur la côte africaine et sur les bateaux, vu le rôle du portugais langue des marins.

et à une « décréolisation du créole », cette dernière impliquant un glissement structurel du créole vers le français.

Étant donné les enjeux identitaires et sociaux de ces étiquettes, il convient de se garder de tout impressionnisme. Les sociétés de la Martinique et de la Guadeloupe (partie 3), d'Haïti (partie 4), et de Maurice (partie 5) seront prises comme des cas exemplaires des écologies créoles.

3. La Guadeloupe et la Martinique : parallèles et différences

Avec chacune environ 400 000 habitants, les îles créolophones de la Martinique et de la Guadeloupe ont à la fois le statut de départements d'outre-mer (DOM) et de régions ultrapériphériques de l'Union Européenne. D'importants groupes diasporiques antillais se trouvent aussi en région parisienne, à Bordeaux ou à Marseille, de même qu'en Guyane française, au Canada (Montréal) et au Panama.

La Guadeloupe et la Martinique ayant le même statut, le système scolaire français imprègne de manière égale la culture des deux îles, le taux de scolarisation atteint 100 % et il n'existe pratiquement plus de locuteurs créoles monolingues, type de compétence encore répandu il y a 40 ou 50 ans. Le bilinguisme est généralisé, sous des formes variées allant d'une mauvaise maîtrise du créole, ou du français, à l'utilisation de formes hybrides, interlectales.

D'un point de vue historique, les parallèles entre les deux îles sont nombreux. Toutes deux deviennent colonies françaises en 1635. Le véritable essor de l'économie coloniale, avec le passage d'une société d'habitation à une société de plantation, se produit vers 1680. C'est alors que l'importation d'esclaves africains devient massive, et que ceux-ci deviennent le groupe démographique dominant. L'esclavage est aboli en 1794, puis rétabli par Napoléon en 1802 ; l'abolition définitive est votée et appliquée en France en 1848, précédée d'émeutes dans les deux îles. En 1946, les deux colonies reçoivent le statut de départements d'outre-mer par la loi d'assimilation.

Mais il y a aussi des différences historiques entre les deux colonies. Lorsque les révolutionnaires éradiquent la noblesse monarchiste, la Martinique est pour peu de temps conquise par les Anglais, si bien que les békés (classe blanche dominante, souvent noble) échappent à la guillotine. En Guadeloupe au contraire, l'attaque anglaise est repoussée, et beaucoup de « grands blancs » sont condamnés au supplice. Suite à ces destins différents, les classes dominantes des deux îles adoptent des attitudes sociales divergentes.

De nombreux enseignants utilisent, et depuis longtemps, le créole à l'école en tant qu'outil didactique. Mais ce n'est qu'en 1983 que l'enseignement de la langue et de la culture créoles en tant que matière à part entière devient légal en Martinique et en Guadeloupe ; en 2002, un CAPES de créole est créé.

Sur le plan linguistique, les deux créoles sont structurellement et phonétiquement proches. Les différences concernent surtout des nasalisations (martiniquais : *savann-lan*, guadeloupéen : *savann-la*, « le pré »), des expressions lexicales et idiomatiques (mar. : *bagay*, gua. : *biten*, « truc, machin »), ou des fonctionnements grammaticaux, tel que le possessif : mar. : *kaz-mwen*, gua. : *kaz-an-mwen*, « ma maison ».

Une autre modalité de contact actuel en Martinique et en Guadeloupe, se trouve aussi à l'œuvre dans d'autres territoires franco-créolophones : celle entre différents créoles, qui se produit au sein de groupes diasporiques par la mobilité intra-caribéenne ainsi que dans les médias, surtout la musique.

Sur le plan sociolinguistique, la relation de contact créole-français a souvent été rapportée à un schéma diglossique (voir chapitre III). Certes, nombre de tâches communicatives de la « variété haute » étaient accomplies en français (plus ou moins) standard, pratiqué par les fonctionnaires venus de l'hexagone, par les enseignants et cadres formés en Europe, ou par les familles aisées cultivant leur tradition biculturelle. Le créole, quant à lui, était la variété basse, la langue orale relevant du quotidien informel. Mais il existe un autre français, d'usage oral, très enraciné aux Antilles. Ce français antillais traditionnel comporte des mots anciens, devenus rares en français hexagonal courant (comme *présentement*). Il comporte des influences du créole, à tous les niveaux : prononciation, lexique, expressions idiomatiques, grammaire. Beaucoup de locuteurs en sont bien conscients de nos jours, et ces formes font pleinement partie de l'usage courant de ce français régional.

La question qui se pose aujourd'hui est donc de savoir s'il y a ***continuum*** entre français et créole. La variété basse de la diglossie serait le ***basilecte***, pôle opposé à l'***acrolecte***, ancienne variété haute, avec toute une gamme intermédiaire de ***mésolectes***. Le basilecte serait alors le créole « pur » (d'ailleurs souvent difficile à définir concrètement), l'acrolecte le français « standard », entre lesquels s'échelonneraient différents degrés de « créole francisé » et de « français créolisé ».

L'alternance linguistique entre créole et français, ainsi que les copies-emprunts au niveau lexical ou grammatical, sont loin de refléter toujours un manque de compétence ou un apprentissage incomplet. Dans l'exemple suivant, le locuteur alterne entre les deux langues, en montrant à travers le créole son appartenance à la culture populaire guadeloupéenne et, parallèlement, par le recours au français, sa maîtrise de la langue écrite :

Un extrait de communication informelle en Guadeloupe

BON FANMI MAMAN-MWEN SÉ NÈG . dans ma famille y a NÈG noir, noir foncé . le noir qui a créé tout (   ) Dieu n'a pas mis de races de couleurs [...] MÉ AN KA DI-W la vérité allez allez dans les archives . OU KÉ VWÈ la vérité veut/ dire que les juifs/ qui a créé la métallurgie ? qui a créé l'ampoule ?

[extrait de Ludwig & Bruneau-Ludwig 2012, p. 159]

Commentaire : on a ici affaire à un français dominant avec influence créole. Les passages attribuables au créole sont en majuscules. Les parenthèses représentent des éléments incompréhensibles, les crochets une petite pause, et les barres obliques, une coupure du texte.

Si, dans ce dernier exemple, c'est plutôt le français qui prédomine, l'extrait suivant est en créole, avec des copies françaises :

Un extrait de débat politique en Guadeloupe

bon°alò°alò mwen an ka di-w olyé ké zò kritiké konsa°zò di tout biten°SEMER LA DIVISION konsa°LA PANIQUE°moun pa ka/ zò zò vé atenn pétèt lendépandans PAR œ/ PAR LA VOIE DE DE LA britalité lasovajri

Traduction : *Bon, alors, je te disais donc qu'au lieu de critiquer à tout bout de champ, de semer la division comme vous le faites, la panique, les gens ne... vous voulez peut-être obtenir l'indépendance par la voie de la brutalité, de la sauvagerie.*

[Ludwig, Telchid & Bruneau-Ludwig 2001, pp. 124-125]

Commentaire : ici, c'est le français qui est en capitales, car le passage est en créole avec influence française. Certains éléments du français sont phoniquement faciles à repérer (en majuscules), d'autres moins, comme le connecteur *olyé ké* (« au lieu que »). Les éléments venant du français sont plutôt scripturaux.

Dans les deux exemples, on peut supposer une bonne compétence des deux locuteurs, et en créole et en français ; leurs formes d'hybridation relèvent d'une stratégie discursive, et non d'un déficit. Il est indéniable que ce n'est pas le cas de tous les locuteurs, ni de toutes les situations, mais il est difficile de généraliser. C'est uniquement quand on constate qu'un large groupe de locuteurs produit des textes créoles hybrides par manque de compétence en créole basilectal que l'on peut parler de ***décréolisation***.

Le créole jouissant d'une grande vitalité en Guadeloupe, il faut distinguer entre « changement linguistique », processus qui est justement un signe de vitalité pour toutes les langues, et « francisation ». Il est certain que, surtout en contexte urbain, les parents s'adressent à leurs enfants aussi en français, et parfois uniquement en français (antillais). Cette pratique risque, à long terme, de renforcer la tendance à la constitution de formes moyennes, aux dépens à la fois du français acrolectal et du créole basilectal. Les compétences créoles basilectales de la jeune génération semblent plus réduites en Martinique, mais il faudrait davantage d'enquêtes pour le confirmer.

Nous avons vu au début du chapitre qu'un chanteur martiniquais fonde ses textes sur son bilinguisme, et s'il introduit du français dans son créole, il y intègre aussi de l'anglais (*welcome, flowers, power*). Les jeunes Guadeloupéens et Martiniquais ressentent de moins en moins le français comme une langue scolaire, apprise après le créole, et ils observent attentivement les changements fonctionnels de ce bilinguisme social. Ainsi, une jeune auteure martiniquaise, Mérine Céco, thématise ce bilinguisme dont elle fait une question identitaire essentielle dans son roman *La mazurka perdue des femmes-couresse* (2013). Pour elle, le français est une « langue maternelle », et le créole la « langue matricielle ».

4. Haïti : figure historique de la diglossie, actuelles complexifications

L'écologie d'Haïti est très différente de celle des DOM caribéens. La situation économique de cet État est plus que précaire, malgré l'aide internationale qui a suivi le tremblement de terre meurtrier de 2010. La quasi-totalité de la population de 10 millions d'habitants parle créole ; environ 93 % des Haïtiens sont monolingues créoles, et à peine 7 % sont bilingues créole-français (bourgeoisie citadine, administratifs, enseignants...). S'y ajoutent des groupes diasporiques, en général bilingues, installés surtout au Canada, aux États-Unis et sur des territoires français (Martinique, Guadeloupe, Guyane).

À partir de 1630, des flibustiers et boucaniers français commencent à prendre possession de l'ouest de l'île d'Hispaniola, colonisée initialement par les Espagnols, et ce n'est qu'en 1697 que cette partie occidentale devient officiellement colonie française. S'y développe une société de plantation comparable à celle de Martinique et de Guadeloupe, mais les émeutes de la fin du 18e siècle conduisent finalement à la proclamation de l'indépendance en 1804. La première république noire au monde a connu depuis une histoire tumultueuse, avec entre autre l'occupation américaine de 1915-1934 et les dictatures Duvalier père et fils (1957-1986).

Le créole haïtien émerge pour l'essentiel selon le schéma ébauché en partie 2. Le français à la base de la créolisation est, comme aux Petites Antilles, d'origine régionale, et marqué par l'oralité. La population initiale arawak-taïno, qui a été soit exterminée soit assimilée, disparaît au cours du 16e siècle, et si sa langue n'est plus en contact direct avec le français, elle laisse des traces lexicales en espagnol, langue de contact permanent avec le français et le créole haïtiens. À côté du contact avec diverses langues africaines dans le processus de créolisation, le contact et du créole et du français d'Haïti avec l'anglais va s'intensifiant au long du 20e siècle.

Mais ce sont les évolutions politiques et économiques différentes qui creusent un fossé entre Haïti et les Petites Antilles. Au moment où le système scolaire français commence à produire de timides effets en Martinique et en Guadeloupe, la rupture linguistique haïtienne perdure pour une large majorité de la population, car la pauvreté n'a pas permis au nouvel état indépendant de mettre sur pied un véritable système d'éducation publique.

Le créole haïtien est proche de la structure du martiniquais et du guadeloupéen (ordre sujet-verbe-objet, système aspecto-temporel...). Étant donné que la plupart des Haïtiens sont monolingues en créole, l'impact de l'oralité est sensible ; ce créole manifeste ainsi une forte variabilité. Et ce monolinguisme dominant continue à bloquer l'influence du français, avec pour conséquence une certaine continuité diachronique du créole basilectal.

On a vu qu'Haïti était, dans la définition du terme de « diglossie » par Ferguson, l'un des exemples prototypiques (chapitre III). Pourtant, l'application de ce concept n'est pas sans soulever quelques problèmes. Pour l'élite bilingue, la répartition fonctionnelle entre les langues haïtiennes peut sembler juste. Pour elle, le français variété haute relève bien des domaines publics (politique, administration, littérature...), et le créole est la langue du quotidien, de l'informel, de la culture populaire. Mais peut-on dire des monolingues créoles qu'ils ne disposeraient que d'une variété basse, qu'ils seraient coupés de toute culture ? Ainsi, si le français est la langue de la religion catholique, le vaudou, qui se pratique en créole, serait-il indigne du statut de culture ? Il semble ainsi difficile d'appliquer le concept de diglossie aux monolingues haïtiens.

Le constat d'une rupture entre français et créole est indéniable à beaucoup d'égards, mais il y a des passerelles entre les deux langues :

- les créolophones monolingues aussi intègrent parfois des éléments français à leur discours, la charnière lexicale entre le français et le créole leur permettant d'appréhender des similarités (même si celles-ci peuvent s'avérer erronées par rapport au standard) ;
- dans certains usages formels du créole, des locuteurs bilingues recourent dans leur discours à des éléments français, qui peuvent ensuite être repris par des locuteurs monolingues ;
- le taux de bilingues dans la diaspora est forcément plus élevé, et, soit par mobilité personnelle, soit par l'intermédiaire de productions médiatiques, leurs discours hybridisés se voient diffusés en Haïti.

Aussi existe-t-il en Haïti une pratique hybridisée du français, voire un véritable français haïtien, héritier du français antillais établi dès le 17e siècle, incluant des éléments créoles.

Exemples récents de « français haïtien »

On appelle aux insectes les ingénieurs du sol.
Ça n'a pas fait trop longtemps que nous avons commencé à demander…
Ici-là, c'est une plante…

[Reportage RFI du 01/12/2013, rediffusé le 22/02/2014, sur les activités du *Mouvman Peyizan Papay* développant une agriculture organique dans les provinces du Haut Plateau Central d'Haïti. Transcription F. Bruneau-Ludwig]

Commentaire : on relève ici différents traits du français haïtien dus au contact avec le créole : hésitation sur la distinction entre datif et accusatif (*on appelle aux insectes*, qui pourrait aussi être influencé par l'espagnol, présent au long de la zone frontalière avec la République dominicaine), problèmes liés au passage du système aspectuel créole aux temps du français (*ça n'a pas fait trop longtemps*), copiage d'un adverbe spatial créole (*ici-là*, créole « *isi-ya* »). L'exemple suivant, cependant, relève plutôt de la survie de vieilles expressions dialectales :

À 7 ans d'âge, j'ai été membre…

En retour, le français manifeste aussi une influence sur le créole, en Haïti ainsi que dans la diaspora.

Extrait d'une émission de radio produite dans la diaspora haïtienne à Boston

pwoblèm per/ perdisyon se on pwoblèm ki TRÈS DIFFÉRENT DE pwoblèm PERTES BLANCHES-la°pwoblèm perdisyon se°HISTOIRE on fanm ayisyèn°ki ansent°ki konnen-l ansent ou byen l konprann-l ansent°epi ki di-w°li kontinye gen règ li°chak mwa [...] pwoblèm-sa-a se yon pwoblèm QUE anpil moun fè etid sou li

Traduction : *Le problème de la perdition est un problème très différent de celui des pertes blanches. Le problème de la perdition est posé par la femme haïtienne qui est enceinte, qui se sait enceinte, ou bien qui se croit enceinte, tout en affirmant continuer à avoir ses règles chaque mois. [...] Bon nombre de personnes ont étudié ce problème.*

[Ludwig *et al.*, 2001, p. 195-196, p. 199]

Commentaire : le passage est en créole, avec influence française. Le locuteur, médecin, explique une conception populaire de la grossesse. On voit des effets d'hybridation : les majuscules signalent des éléments prononcés à la française, de même que le subordonnant *que*. Ce créole « éduqué » a pour effet que la nouvelle norme du créole haïtien n'est pas le basilecte rural, mais une norme citadine plus ouverte au français.

Le tremblement de terre de 2010 et sa médiatisation ont attiré l'attention mondiale sur Haïti où, malgré les aides reçues, les problèmes sociaux persistent. La politique linguistique joue un grand rôle dans ces difficultés, et les instances officielles se voient de plus en plus contraintes de renforcer le passage à l'écrit du créole, incontournable pour le peuple haïtien.

Selon le linguiste haïtien Michel Degraff, le contact linguistique entre créole et français en Haïti est conflictuel depuis le 19e siècle

« Tout ceci remonte loin dans l'histoire d'Haïti en tant que colonie française au cours du 17e et 18e siècle. Et même après, quand nous nous sommes débarrassés des Français en 1803, une élite haïtienne surgit pour prendre la place du colonisateur. Le choix de langue est un des moyens utilisés par les

>>

>>
riches Haïtiens pour exclure la majorité appauvrie du peuple – les *moun an deyò* comme on les appelle en créole, soit 'les gens en dehors des villes'. C'est dans cette exclusion qu'il faut voir le plus grand défi auquel les écoles haïtiennes doivent faire face [...]. Le créole haïtien est donc un outil linguistique incontournable pour dispenser un enseignement de qualité à tous les Haïtiens, et pas seulement aux riches et à ceux qui maîtrisent le français. » [Interview de 2011, traduite de l'anglais par les auteurs]

5. Maurice, une écologie complexe, des contacts multiples

La république mauricienne compte près de 1 280 000 habitants, qui parlent pratiquement tous créole. S'y ajoutent quelques milliers de Mauriciens dans les diasporas, surtout européenne et australienne. La langue administrative est l'anglais, mais le français fonctionne également comme langue publique. Les compétences en français et en anglais sont plus réduites, seul le créole permet à tous les Mauriciens de communiquer sans entrave. Mais d'autres langues sont aussi pratiquées à Maurice : le bhojpouri, le hindi (avec le hindoustani), et, de manière résiduelle, des langues dites « ethniques », telles que l'ourdou ou le cantonais. Les principales langues de contact sont donc le créole à base française, le français, l'anglais et le bhojpouri, ce dernier surtout en contexte rural. Chaque langue est porteuse d'une valeur identitaire spécifique ; depuis 2011, le créole est enseigné à l'école, à côté des grandes langues européennes.

Cette écologie de contact inclut ainsi plusieurs groupes ethniques dont les franco-mauriciens, les indo-mauriciens et les créoles au sens ethnique strict (groupe formé de descendants d'esclaves noirs). Elle est le produit d'une histoire mouvementée. En 1715, les Français prennent possession de l'île et lui donnent le nom d'Île de France. Une société de plantation finira par s'y développer, après une première phase de colonisation difficile ; les échanges avec la Réunion, alors Île Bourbon, sont intenses. Deux décennies plus tard, les esclaves d'origine malgache et de plus en plus souvent africaine, sont largement majoritaires par rapport à la population européenne. Les premières traces de créole à base française remontent aux années 1730. En 1812, lors des conflits coloniaux entre puissances européennes, Maurice devient propriété anglaise, et l'anglais principale langue administrative. Mais les structures coloniales franco-créoles restent intactes. L'esclavage est aboli en 1835, et le besoin de main-d'œuvre de la société de plantation engendre un afflux d'ouvriers en provenance de l'Inde, lesquels constituent rapidement la nouvelle majorité de la population. La plupart sont originaires du Bihar et parlent bhojpouri. Arrivent également des ouvriers chinois, qui restent une minorité démographique.

Dans cette écologie complexe de contacts multiples, on observe les tendances suivantes :

- Concernant la concurrence de l'anglais et du français pour le statut de langue officielle et scripturale, c'est la compétence francophone qui semble prendre le dessus, en dépit du rôle incontesté de l'anglais comme première langue administrative. La parenté lexicale entre créole et français s'avère un facteur de motivation, et le français joue un rôle de langue de communication et de culture dans l'océan Indien, étant donné la proximité de la Réunion, des Seychelles, de Madagascar et des Comores.
- Le bhojpouri, d'usage surtout oral ordinaire, est de plus en plus concurrencé par le créole dans cette fonction. La jeune génération indo-mauricienne comprend souvent encore cette langue, mais lui préfère peu à peu le créole pour la pratique active (même si le bhojpouri est soutenu par le hindi, langue largement diffusée à la télévision par les films indiens).
- Les Mauriciens sont en général conscients de la parenté lexicale entre français et créole. Pour beaucoup d'entre eux, la maîtrise du créole semble faciliter l'apprentissage du français. Les similitudes entre ces deux langues renforcent l'influence de l'une sur l'autre ; il en résulte des énoncés hybrides tels que nous en avons vus pour les créoles antillais.
- Il s'agit d'une communication hybridisée, non seulement par des emprunts ou des alternances codiques, mais aussi par une alternance complexe socialement constitutive, caractéristique pour l'interaction mauricienne, que ce soit dans l'échange oral quotidien (surtout urbain), ou dans la presse.

La une du quotidien* Le Mauricien *du 15 mars 2005

Le "habitual criminal" Sambakye recherché depuis hier

- Jiawed Ruhumatally : « Sa dimoun-la ki Boss. Li ti dan kavo avek Monvoisin ek moi ek li mem ti atak Gérald Lagesse »
- Les limiers de la police se concentrent sur les indices susceptibles de mener au butin de Rs 51,8 M

Jiawed Ruhumatally et son avocat Me Raouf Gulbul lors d'une reconstitution des faits à la montagne Corps de Garde, le 16 février dernier

[exemple repris de Ludwig, Henri & Bruneau-Ludwig, *in* Hookoomsing *et al.* 2009, pp. 187-188]

Commentaire : l'imbrication communicative du français, de l'anglais et du créole reflète une identité mosaïque, incluant compétences culturelles scripturales, intégration populaire, et respect des différentes ethnies (il existe par exemple une variété indo-mauricienne du créole).

La société mauricienne fournit aujourd'hui un bon exemple du potentiel social positif de l'hybridation. L'alternance linguistique et l'hybridation permettent de respecter, sur le plan symbolique, tous les groupes sociaux dans leurs différences, et de les intégrer dans un ensemble social à forte valeur identitaire. Cette communication hybride est donc un moteur de production et de reproduction de la cohésion de la société mauricienne, à travers une mosaïque communicative en constante dynamique.

Conclusion

L'étude des créoles à base française est importante à deux niveaux. Le regard porté sur leur émergence, aux 17e et 18e siècles, atteste d'un chapitre d'histoire culturelle sur le contact entre les continents européen, africain et américain. Il est aussi révélateur quant à la gamme des dynamiques possibles de la langue française dans de telles conditions. Il est intéressant pour la linguistique française et générale d'entrer dans ce qu'on a pu appeler le « laboratoire créole », pour y étudier les mécanismes de contact et l'enjeu d'universaux cognitifs, par exemple lors des processus de simplification du français en situation de multi-contact oral.

Un second plan concerne le présent : les différents créoles, proches au départ dans leurs conditions d'émergence, relèvent aujourd'hui d'écologies de contact diversifiées. Mais toutes ces écologies soulèvent des questions récurrentes. Peut-on concevoir le créole en tant que « langue matricielle » tout en entrant dans la modernité ? Quelles sont les possibilités d'aménagement linguistique des créoles afin qu'ils fonctionnent comme langues écrites ? L'accès au français se voit-il facilité par l'enseignement du créole à l'école ?

REPÈRES POUR LES RÉFÉRENCES

Pour les créoles en général : Chaudenson 1992, Hazaël-Massieux 2011. Pour les terminologies, les aspects et les courants de la créolistique, Kouwenberg & Singler 2008. Pour la description sociolinguistique et structurelle de la plupart des créoles français, mais aussi anglais, luso-espagnols : Michaelis *et al.* 2013. Pour les corpus de différents créoles français, Ludwig *et al.* 2001 ; pour Haïti, Fattier 2014 et Valdman à paraître. Pour le débat autour de la créolisation sociale : Bernabé *et al.* 1989*, Hannerz 1987. Pour les rapports entre processus de contact, créolisation et écologie linguistique : Mufwene 2001 (chap. 2), 2008*. Pour le débat de la diglossie aux Petites Antilles et le rôle intermédiaire du français antillais : Hazaël-Massieux 1978.

BIBLIOGRAPHIE FONDAMENTALE

CHAUDENSON R. (1992) - *Des îles, des hommes, des langues. Langues créoles-cultures créoles*, Paris, L'Harmattan.

FATTIER D. (2014) - « Le français en Haïti, le français d'Haïti : du XVIIe siècle à nos jours », *Journal of Language Contact*, n° 7:1, *French outside France (America and Africa)*, pp. 93-123.

HAZAËL-MASSIEUX M.C. (2011) - *Les créoles à base française*, Paris, Ophrys, L'essentiel français.

MICHAELIS S., MAURER P., HASPELMATH M. & HUBER M. (eds) (2013) - *The Survey of Pidgin and Creole Languages. Vol. II : Portuguese-based, Spanish-based, and French-based Languages*, Oxford, Oxford University Press.

SOURCES LINGUISTIQUES ET LITTÉRAIRES

CÉCO M. (2013) - *La mazurka perdue des femmes-couresse*, Paris etc., Écriture.

CHAUDENSON R. (1981) - *Textes créoles anciens (La Réunion et Île Maurice). Comparaison et essai d'analyse,* Hamburg, Buske, Kreolische Bibliothek 1.

LABAT J. B., R. P. (1722) - *Nouveau voyage aux isles de l'Amérique*, Paris, Guillaume Cavelier.

LUDWIG R., TELCHID S. & BRUNEAU-LUDWIG F. (2001) - *Corpus créole. Textes oraux dominicais, guadeloupéens, guyanais, haïtiens, mauriciens et seychellois : enregistrements, transcriptions et traductions*, en collaboration avec S. Pfänder et D. de Robillard, Hamburg, Buske Verlag, Kreolische Bibliothek 18.

POUR ALLER PLUS LOIN

HANNERZ U. (1987) - « The World in Creolization », *Africa*, n° 57, pp. 546-559.

HAZAËL-MASSIEUX G. (1978) - « Approche socio-linguistique de la situation de diglossie français-créole en Guadeloupe », *Langue Française*, n° 37, pp. 106-118.

HOOKOOMSING V. Y., LUDWIG R. & SCHNEPEL B. (eds) (2009) - *Multiple Identities in Action : Mauritius and some Antillean Parallelisms*, Frankfurt a. M., Peter Lang.

KOUWENBERG S. & SINGLER J. V. (eds) (2008) - *The Handbook of Pidgin and Creole Studies*, Malden etc., Wiley-Blackwell.

LUDWIG R. & BRUNEAU-LUDWIG F. (2012) - « Langue(s) et communication en Guadeloupe : vers une approche écolinguistique », *Cahiers de linguistique*, n° 38:2, pp. 139-166.

MUFWENE S. (2001) - *The Ecology of Language Evolution*, Cambridge, Cambridge University Press.

VALDMAN A. (à paraître) - *Haitian Creole : Structure, Variation, Status, Origin*, Sheffield, Equinox.

CONCLUSIONS ET PERSPECTIVES

Nous sommes partis des nombreuses constellations de contact du français à travers le monde, d'un point de vue historique et actuel, afin de cerner, au gré des chapitres de cet ouvrage, quels processus cette multiplicité induisait.

Pour le présent, nous avons sondé les possibilités de contact entre le français et d'autres langues, indo-européennes ou non ; et, du point de vue structurel, nous avons montré à l'œuvre les mécanismes du contact. D'un point de vue historique, nous avons vu les relations d'échange qu'a pu connaître le français, à la fois sur le continent européen et dans ses exportations, contacts plus ou moins stabilisés qui souvent perdurent aujourd'hui.

Nous avons pris comme fil rouge de cet ouvrage les porteurs de langue(s) que sont les êtres humains. Ce sont en effet les locuteurs qui sont, en contexte, les acteurs et les agents du contact, et les supports de processus linguistiques parmi lesquels certains se conventionnaliseront et deviendront partie prenante du français. C'est au niveau du lexique que les traces du contact sont les plus facilement retenues ; mais la phonologie et la grammaire y sont aussi sensibles. Une vaste gamme de phénomènes influe ainsi à la fois sur la communication *en* français et sur le système *du* français.

Si le contact tient une place centrale dans la communication ordinaire en français, il a aussi conduit, en Afrique et en Amérique, à l'émergence de parlers et de langues hybrides qui vont au-delà de simples variantes de cette langue. Les créoles viennent s'ajouter à la palette de produits extrêmes du contact. Le français entre ainsi dans des processus de contact diversifiés, dont les résultantes s'échelonnent entre de légères variantes lexicales et l'émergence de langues nouvelles.

En concluant le chapitre VI, nous avons rappelé l'expression de « laboratoire créole » de Hagège (1985). Suite à notre tour d'horizon des configurations, on peut étendre cette métaphore : c'est la gamme complète des contacts du français à travers le monde qui peut être vue comme un laboratoire, non seulement pour la linguistique, mais pour différentes sciences humaines.

Si le français en contact au niveau mondial offre un intérêt pour différentes disciplines, une perspective transdisciplinaire s'avère indispensable pour son analyse : toute tentative d'interprétation mono-causale de sa dynamique serait stérile. Pour étudier les différentes figures du français, il faut tenir compte à la fois de l'espace, de l'histoire, des cadres sociaux et économiques, des caractéristiques des systèmes linguistiques impliqués, des compétences et attitudes des locuteurs… C'est cette intrication de facteurs qui fonde une approche écologique.

Deux principes écologiques se sont avérés récurrents au cours de notre étude :

- le contact est un facteur constamment présent dans toute écologie linguistique ;

- une écologie linguistique reposant sur différents paramètres, il faut établir le(s)quel(s) entre(nt) en jeu (beaucoup, un peu, pas du tout) dans une écologie particulière, quelle qu'en soit l'extension, pays, région, métropole, ou aire…

On peut contraster les types d'écologies, allant des contacts extrêmes aux contacts ordinaires. Ainsi, pour l'émergence des langues créoles (chapitre VI), certains paramètres s'avèrent cruciaux : l'espace (en général insulaire ou quasi-insulaire), des conditions socio-historiques (société de plantation ou apparentée), des aspects cognitifs (connaissance faible ou nulle de la langue du colonisateur)… Pour l'émergence de parlers et langues hybrides en Afrique (chapitre V), les conditions sont tout autres : espace urbain, processus d'affirmation identitaire d'un groupe social (surtout distinction d'autres groupes), compétence bilingue ou plurilingue répandue… Mais les effets des contacts ordinaires ne reposent pas sur d'autres ressorts : ainsi, des paramètres comme « compétence » (bi/plurilinguisme, degré d'alphabétisation), « cadre socio-économique », ou « degré de proximité systémique » entre le français et la/les langue(s) de contact auront des incidences différentes selon l'aire concernée. C'est ce qui explique qu'il y ait un continuum entre les deux pôles.

C'est aussi une conception écologique qui sous-tend les exemples qui ont été ici présentés. Étant donné le rôle reconnu aux interactants, des corpus oraux enregistrés et transcrits sont une base appropriée pour montrer la gamme des phénomènes d'hybridation. Comme le lexique y entre pour une large part, nous nous sommes appuyés sur des dictionnaires, à la fois pour montrer l'origine et l'évolution sémantique de ces mots passés au français et pour suivre leur éventuel cheminement vers le statut d'emprunt conventionnalisé. Nous avons ainsi constaté une nouvelle réactivité de l'outil dictionnaire au lexique émergent, qu'il s'agisse de dictionnaires collaboratifs (chapitre I pour la région parisienne, chapitre V pour la Côte d'Ivoire et le Cameroun) ; ou bien de la mise à jour régulière de dictionnaires en ligne (chapitre IV pour le Québec).

C'est non seulement pour étudier la propagation et la conventionnalisation, mais aussi pour comprendre la légitimation sociale, culturelle et artistique de formes hybridisées que nous avons souvent fait référence à la musique populaire, au cinéma ou à la littérature, qui facilitent l'approche d'enjeux identitaires. Ce sont souvent des ironisations ou des caricatures linguistiques, allant du persiflage du langage italianisé d'un Robert Étienne (chapitre II.1) ou des charges sur le franglais (chapitre II.3), jusqu'à des représentations dans des BD, qui renseignent sur des attitudes et stéréotypes sociaux face à des hybridations du français.

Nous terminerons en évoquant quelques effets des actuels processus de globalisation – terme que nous utilisons à dessein, suivant en cela Vigouroux & Mufwene (2013) pour ne pas en faire un simple synonyme anglicisé de *mondialisation*. Si l'on conserve les deux termes, on peut spécialiser *mondialisation* pour désigner une circulation à l'échelle planétaire, de biens, de personnes et d'activités. Alors que *globalisation* renvoie à l'interdépendance et l'interconnexion de phénomènes de différents ordres et domaines, économiques, politiques, culturels, technologiques, à la fois locaux, translocaux et globaux.

Il s'agit par ce biais de réfléchir au possible avenir de la langue française, qu'il serait sûrement simplificateur de caractériser trop rapidement de façon globale. Cet avenir doit être pensé en fonction des différentes configurations, et compte tenu de la nouvelle donne que peuvent induire certains processus de globalisation, de nature économique et politique. Nous en prendrons des exemples dans des usages sociaux de « nouvelles technologies », et dans les mobilités de locuteurs. Le français n'est ainsi pas différent d'autres langues, mais les effets induits peuvent l'être, compte tenu de quelques spécificités de la francophonie.

Une étude écologique incite à mettre en relation systèmes linguistiques, cadres sociaux et attitudes des locuteurs, à côté de leurs pratiques. Revenons ainsi à une idée d'auteurs maghrébins, africains ou caraïbes (chapitre I) : le français, langue « volée » et appropriée, est dorénavant aussi une langue porteuse d'autres cultures. Avec un aspect purement linguistique, relevant de la communication ordinaire et impliquant les différentes traditions discursives, des transferts pragmatiques, ainsi que d'autres ancrages culturels du français. Ainsi, non seulement des auteurs habitent le français de manière nouvelle, mais ils demandent la même démarche à leurs lecteurs.

L'usage du français dans certaines émissions de radio nous fournira un exemple d'intégration du français dans une tradition discursive autre qu'européenne. Les règles et les rituels interactionnels d'émissions en « questions-réponses », connues partout dans le monde, varient de manière socialement significative selon les pays. Ainsi, Drescher (2014) montre qu'au Cameroun, les schémas interactifs dans une émission de radio de type « un expert répond aux questions des auditeurs » sont adaptés à cette culture. C'est un modérateur, interposé entre l'expert et l'auditeur, qui prend l'appel de l'auditeur ; il reformule alors sa question, selon un certain rituel. L'étude souligne le rôle du contact entre différentes traditions discursives (en l'occurrence le discours spécialisé de l'expert et les modalités ordinaires d'interaction au Cameroun), encore peu prises en considération par la linguistique de contact. Drescher cherche à « sensibiliser davantage aux phénomènes relatifs à l'usage en linguistique de contact, [à] attirer l'attention sur la dimension pragmatico-discursive », avec l'objectif de « contribuer à une pragmatique postcoloniale du français » (pp. 87-88). Ce n'est d'ailleurs pas spécialement le médium « radio » qui est ainsi en cause, mais ce qu'il permet de diffuser de pratiques à la fois traditionnelles et innovantes (ou des innovations sensibles à la tradition discursive locale).

De telles perspectives pragmatiques, discursives et culturelles devraient jouer un rôle grandissant dans la saisie de la francophonie en contact avec d'autres langues. Ainsi Lafkioui (2013) montre comment les ressources offertes par une autre technologie, celle d'internet, mettent en valeur des négociations relevant à la fois de la culture traditionnelle berbère et d'identités de groupe transnationales dynamiques, tout en établissant un lien virtuel entre membres de la diaspora. Elle illustre ce propos avec la revendication récente d'une identité amazigh marocaine (locale ou pan-amazigh) dans des sites rédigés majoritairement en français mais plurilingues (« sites web minoritaires »). Ils exploitent, dans la forme et dans le contenu, une multitude d'expressions culturelles hybrides, fonctionnant sur une relocalisation de ressources linguistiques empruntées à différentes langues.

On a vu que deux moteurs socio-historiques du contact linguistique étaient la proximité territoriale (cas historique de l'Europe) et la mobilité (sous les formes de la colonisation, de la migration, des diasporas). Nous ne reviendrons ici ni sur la proximité spatiale, ni sur la colonisation, traitées au fil de nos chapitres. Nous nous arrêterons plutôt aux effets de processus qui ont certes toujours existé, mais qui ont pris de l'ampleur en ces temps de globalisation : la mobilité des personnes et les migrations.

Les migrations sont par excellence des processus qui font franchir des frontières, y compris linguistiques, et qui amènent des réorganisations de répertoires langagiers et de pratiques linguistiques, différentes selon les écologies. Il arrive que l'immigration joue en légère faveur du français, comme en Belgique ou au Luxembourg, où il y a une forte immigration maghrébine, en particulier marocaine. En France, dans les grandes villes et particulièrement dans les banlieues de la région parisienne, il y a parmi les nombreux migrants beaucoup de jeunes, facteur favorable à des changements linguistiques rapides. Ainsi, comme nous l'avons vu dans le chapitre I, la présence de nombreuses langues de l'immigration a conduit à l'adoption par le français de nouveaux mots, pour l'essentiel arabes. Pour le français du Canada, et spécialement dans la métropole Montréal, les pratiques de jeunes Montréalais d'origines diverses se sont complexifiées : beaucoup sont plurilingues – ce qui ébranle la confrontation traditionnelle entre français et anglais (ils manient autant l'anglais que le français). C'est ce qu'établit une étude ethnographique de Lamarre (2013) effectuée auprès de jeunes Montréalais dans des espaces multiethniques et plurilingues, qui interroge les catégories de langue et d'identité, et atteste d'un ébranlement de ce qu'on a vu au chapitre IV. En Afrique, c'est un autre facteur qui peut jouer en faveur du français : le fort plurilinguisme (voir chapitre V). Ainsi, au Gabon, pays riche en matières premières qui attire une migration intra-africaine, des migrants provenant de différentes aires d'Afrique n'ont souvent que le français comme mode d'inter-communication.

La francophonie doit ainsi être considérée au cas par cas, en évitant toute généralisation hâtive (Vigouroux & Mufwene, 2013). Si une « nouvelle économie de services et d'information » valorise le plurilinguisme, les effets sur l'ancrage du français sont parfois ambivalents. L'économie de services ne joue pas toujours en faveur de francophones locaux, comme dans les centres d'appel (au Maghreb, au Canada ou à Maurice), où ce sont les locuteurs avec un accent peu marqué (donc peu localisé, voire scolaire) qui sont privilégiés. Un autre facteur lié à l'actuelle globalisation a des retombées pour le français en contact : il s'agit du tourisme, dont une étude de Heller (2008) montre des effets de marchandisation patrimoniale, à travers la diffusion d'artefacts et de ressources symboliques relatifs à des valeurs dont les francophones sont à la fois les acteurs et les consommateurs.

Le versant culturel et social de notre étude atteste d'incidences immédiates pour les locuteurs. L'attitude envers l'hybridation témoigne en effet de « l'état culturel » d'une société, elle constitue un miroir quant à des enjeux identitaires complexes (identité et altérité). Étudier le degré d'acceptation des hybridations au sein d'une société permet de prendre son pouls devant la globalisation.

L'hybridation linguistique a toujours existé, à différents niveaux, sans effets néfastes notoires. L'alternance linguistique notamment, qui met plutôt en jeu une certaine conscience (méta)linguistique, fonctionne dans beaucoup de sociétés comme une marque d'intégration sociale. Et les programmes de formation en linguistique appliquée à des objectifs d'enseignement des langues devraient pouvoir en tenir compte.

La possibilité de désintégration d'une langue sous les effets de l'hybridation est un processus qui ne se produit que rarement voire jamais, car il y faudrait des conditions écologiques très fortes. Nous avons vu que les facettes du contact sont multiples, rendant les généralisations difficiles. Chaque langue évolue, et le contact peut renforcer une évolution endogène ; les conditions d'exercice d'une langue dans l'oralité et dans la communication ordinaire peuvent alors entraîner des convergences. Un exemple ivoirien évoqué au chapitre V, impliquant le français et le baoulé, montre qu'un tel processus peut même se produire entre deux systèmes qui semblent très éloignés l'un de l'autre. La convergence aura pour effet d'accélérer des tendances évolutives du français ; une variété peut ainsi « rester identique à elle-même », à savoir au potentiel de ses tendances évolutives, tout en subissant les effets du contact. D'autres effets « indirects » du contact, tels que les processus de simplification, sont eux aussi susceptibles de se conventionnaliser (voir chapitre III).

Le bilinguisme ne présente *a priori* de danger ni social, ni cognitif ou psychologique. Nous avons vu que le français vivait partout en contact avec d'autres langues, que le plurilinguisme constituait un cas répandu plutôt qu'une exception. Pourtant, l'idée de promotion du monolinguisme repose, en France et en Europe, sur des racines historiques, philosophiques et culturelles profondes (chapitre II).

Cette idéologie de la supériorité du monolinguisme perdure aujourd'hui, sous différentes formes, qui commencent par des discussions autour d'effets supposés négatifs du bilinguisme. On l'a vu récemment en France avec les polémiques autour du rapport préliminaire de J.-A. Bénisti (2004), *Rapport sur la prévention de la délinquance des mineurs et des jeunes majeurs*, qui préconisait la proscription du bilinguisme entre français et « patois du pays », mis en relation avec l'échec scolaire et un risque de délinquance des jeunes. Même si le propos est aussi extrême que les raccourcis (atténués dans la version définitive du rapport, en 2010), s'illustre là une figure récurrente de méfiance envers le bilinguisme.

En terminant cet ouvrage, nous pouvons véritablement saisir les dimensions du « français en contact à travers le monde ». Au-delà d'une langue française qui s'est faite le support d'une « littérature-monde », ce que nous avons rencontré est tout simplement un « français-monde », quand nous avons affaire aux français de différentes cultures et sociétés à travers le monde, exhibant des marques structurelles et culturelles du contact.

RÉFÉRENCES

DRESCHER M. (2014) - « La dimension pragmatico-discursive du français en contact. L'exemple des consultations de la radio camerounaise », *Journal of Language Contact*, n° 7:1, *French outside France (America and Africa)*, pp. 93-123.

HAGÈGE C. (1985) - *L'Homme de paroles*, Paris, Fayard.

HELLER M. (2008) - « Language and the Nation-State : Challenges to Sociolinguistic Theory and Practice », *Journal of Sociolinguistics*, n° 12:4, pp. 504-524.

LAFKIOUI M. (2013) - « Multilingualism, Multimodality and Identity Construction on French-Based Amazigh (Berber) Websites », *Revue Française de Linguistique Appliquée*, n° XVIII:2, pp. 135-151.

LAMARRE P. (2013) - « Catching 'Montréal on the Move' and Challenging the Discourse of Unilingualism in Québec », *Anthropologica*, n° 55, pp. 1-16.

VIGOUROUX C. & MUFWENE S. (2013) - « Globalisation et vitalité du français : vieux débats, nouvelles perspectives », *Colonisation, globalisation et vitalité du français* (S. Mufwene & C. Vigouroux, eds), Paris, Odile Jacob, pp. 7-44.

BIBLIOGRAPHIE GÉNÉRALE[1]

Français, francophonie et français-monde

BALL R. (1997) - *The French Speaking World*, London, Routledge.

BORZEIX J.-M. (2006) - *Les carnets d'un francophone*, Saint-Pourçain-sur-Sioule, Bleu autour.

CALVET L.-J. (2010) - *Histoire du français en Afrique : une langue en copropriété ?*, Paris, Écriture, Organisation internationale de la Francophonie.

CHAUDENSON R., MOUGEON R. & BENIAK E. (1993) - *Vers une approche panlectale de la variation du français*, Paris, Didier-Erudition – ACCT, Langues et développement.

CHEVALIER J.-C. (2007) - « La langue française et le défi de la mondialisation », *Les français en émergence* (E. Galazzi & C. Molinari, eds), Berne, Lang, pp. 255-265.

DEPECKER L. (1990) - *Les mots de la francophonie*, Paris, Belin.

DETEY S., DURAND J., LAKS B. & LYCHE C. (eds) (2010) - *Les variétés du français parlé dans l'espace francophone, Ressources pour l'enseignement*, Paris, Ophrys, L'essentiel français.

DRESCHER M. & NEUMANN-HOLZSCHUH I. (eds) (2010) - *La syntaxe de l'oral dans les variétés non-hexagonales du français*, Tübingen, Stauffenburg Verlag.

Le français en Afrique, http://www.unice.fr/ILF/ofcaf

GADET F. & LUDWIG R. (eds) (2014) - *French outside France (America and Africa), Journal of Language contact*, n° 7:1.

GADET F. & LUDWIG R. (2014) - « Introduction. French Language(s) in Contact Worldwide : History, Space, System and other ecological Parameters », *Journal of Language Contact,* n° 7:1, pp. 3-35.

1. Certains des titres donnés ici figurent aussi dans des chapitres.

GADET F., LUDWIG R. & PFÄNDER S. (2009) - « Francophonie et typologie des situations », *Cahiers de linguistique*, n° 34:1, pp. 143-162.

LE BRIS M. & ROUAUD J. (eds) (2007) - *Pour une littérature-monde*, Paris, Gallimard.

LODGE A. R. (1993) - *Le français. Histoire d'un dialecte devenu langue*, Paris, Fayard.

LÜDI G. (1992) - « French as a pluricentric language », *Pluricentric Languages. Differing Norms in Different Nations* (M. Clyne, ed), Berlin / New York, Mouton de Gruyter, pp. 149-178.

MANESSY G. (1994) - *Le français en Afrique noire*, Paris, l'Harmattan.

MOÏSE C. (2008) - « Protecting French : the view from France », *Discourses of Endangerment : Ideology and interest in the defence of languages* (A. Duchêne & M. Heller, eds), London, Continuum, pp. 216-241.

MUFWENE S. & VIGOUROUX C. (eds) (2014) - *Colonisation, globalisation et vitalité du français*, Paris, Odile Jacob.

PAPEN R. & CHEVALIER G. (eds) (2006) - *Les variétés de français en Amérique du nord*, Revue de l'Université de Moncton, n° 37:2.

PÖLL B. (2001) - *Francophonies périphériques : Histoire, statut, et profil des principales variétés du français hors de France*, Paris, L'Harmattan.

PÖLL B. & SCHAFROTH E. (eds) (2009) - *Normes et hybridations linguistiques en francophonie*, Paris, L'Harmattan.

ROBILLARD D. de & BENIAMINO M. (eds) (1993/1996) - *Le français dans l'espace francophone*, 2 volumes, Paris, Champion.

SANAKER J.-K., HOLTER K. & SKATTUM I. (2006) - *La francophonie – une introduction critique*, Oslo Academic Press, Unipub forlag.

VALDMAN A. (ed) (1979) - *Le français hors de France*, Paris, Champion.

WOLTON D. (2006) - *Demain la francophonie*, Paris, Flammarion.

Théorie du contact

BERNABÉ J., CHAMOISEAU P. & CONFIANT R. (1989) - *Éloge de la créolité*, Paris, Gallimard / Presses Universitaires Créoles.

CALVET L-J. (2002) - *Le marché aux langues. Les effets linguistiques de la mondialisation*, Paris, Plon.

GUMPERZ J. ([1982] 2002) - *Discourse Strategies*, Cambridge, Cambridge University Press.

HEINE B. & KUTEVA T. (2005) - *Language Contact and Grammatical Change,* Cambridge, Cambridge University Press.

HICKEY R. (ed) (2010) - *The Handbook of Language Contact*, Oxford, Wiley-Blackwell.

LÜDI G. & PY B. (1986) - *Être bilingue*, Berne, Lang.

LUDWIG R., MÜHLHÄUSLER P. & PAGEL S. (eds) (2015) - *Linguistic Ecology and Language Contact*, Cambridge, Cambridge University Press.

MATRAS Y. (2009) - *Language Contact*, Cambridge, Cambridge University Press.

MICHAELIS S., MAURER P., HASPELMATH M. & HUBER M. (eds) (2013) - *The Survey of Pidgin and Creole Languages*, 4 volumes, Oxford, Oxford University Press.

MOREAU M.-L. (ed) (1997) - *Sociolinguistique. Les concepts de base*, Spirmont, Mardaga.

MUFWENE S. (2005) - *Créoles, écologie sociale, évolution linguistique*, Paris, L'Harmattan.

MUFWENE S. (2008) - *Language Evolution : Contact, Competition and Change*, London, Continuum.

MYERS-SCOTTON, Carol (2006) - *Multiple Voices. An Introduction to Bilingualism*, Malden, Blackwell.

SIMONIN J. & WHARTON S. (eds). (2012) - *Sociolinguistique du contact. Dictionnaire des termes et concepts*, Lyon, ENS Éditions.

THOMASON S. (2001) - *Language Contact : An Introduction*, Edinburgh, Edinburgh University Press.

THOMASON S. & KAUFMAN T. (1988) - *Language Contact, Creolization, and Genetic Linguistics*, Berkeley, University of California Press.

WEINREICH U. ([1953] 1967) - *Languages in Contact. Findings and Problems*, The Hague, Mouton & Co.

Corpus de français hors de France, et réflexions sur les corpus

CIEL_F (Corpus International Écologique de la Langue Française), http://ciel-f.org/

GADET F. (2013a) - *Banque de données sur les français hors de France*, en coll. avec N. Michelis, site de la DGLFLF http://www.dglflf.culture.gouv.fr/recherche/corpus_parole/BDD_Corpus_oraux_des_francais_hors_de_France.htm

GADET F. (2013b) - « Des corpus pour le français hors de France. Présentation de l'inventaire », site de la DGLFLF. http://www.dglflf.culture.gouv.fr/recherche/Intro_CorpusFHF_170313_2.pdf

GADET F., LUDWIG R., MONDADA L., PFÄNDER S. & SIMON A.-C. (2012) - « Un grand corpus de français parlé : le CIEL-F. Choix épistémologiques et réalisations empiriques », *Revue française de linguistique appliquée*, n° XVII:1, pp. 39-54.

Pan-Francophone database http://www.bdlp.org/

INDEX

Cet ouvrage a été achevé d'imprimer par Pulsio Sarl,
Paris en novembre 2014
Imprimé en UE